AF277103

ANDREA GARCÍA-SANTESMASES FERNÁNDEZ

EL CUERPO DESEADO

LA CONVERSACIÓN PENDIENTE ENTRE
FEMINISMO Y ANTICAPACITISMO

Prólogo de Bob Pop

SEGUNDA EDICIÓN REVISADA

KAÓTICA LIBROS

© Texto original: Andrea García-Santesmases Fernández
© Prólogo: Bob Pop
© Imagen de cubierta: Gustavo A. Díaz
© Diseño: Kaótica Libros
© Edición: Kaótica Libros

kaoticalibros.com
hola@kaoticalibros.com

Colección Teorías del Caos, 10

Editado en Madrid, España

Primera edición: marzo, 2023
Segunda edición revisada: octubre, 2023

Depósito Legal: M-3934-2023
ISBN: 978-84-126037-3-6

EL CUERPO DESEADO

LA CONVERSACIÓN PENDIENTE ENTRE
FEMINISMO Y ANTICAPACITISMO

Andrea García-Santesmases Fernández

Kaótica Libros

A mi tía Rocío *(in memoriam)*

PRÓLOGO

Bob Pop

Me he pasado mi vida de lector buscándome entre líneas de ficciones ajenas, encontrando de vez en cuando reflejos y sombras mejores que yo aunque peor definidas. Hasta que me vi, me leí en este excepcional ensayo que estás a punto de leer o que acabas de terminar de leer porque has decidido hacer de este prólogo un epílogo. No me parece mal.

El cuerpo deseado habla de mí, de mi cuerpo discapacitado, de cómo lo vivo y de cómo lo percibís. Habla de mi deseo y el deseo que os podría generar. Pero este libro de Andrea García-Santesmases no habla de cuerpos aislados sino de cuerpos sometidos y entregados a la colectividad de lo social y lo político. De cuerpos que se ponen, tal como la teoría feminista reivindicó antes de que lo hicieran, después, otros pensamientos. De cuerpos que se ponen y se exponen como mascarones de proa frente a un mar enfurecido de neptunianos en guardia. De cuerpos que se ponen, se exponen y nos ponen. Sin permiso. Porque lo primero que aprende, que nos enseñan, un cuerpo 'disca' es que –Santa María Jiménez nos bendiga– «ahora ya su mundo es otro». Un mundo donde el cuerpo pasa a convertirse en objeto de cuidados, compasión, repugnancia, superación o alivio. Y deja de pertenecernos y deja de ser masculino según todos los códigos de la masculinidad tóxica. Por eso este libro es tan importante. Porque hablar de discapacidad y feminismo es transitar un espacio abrupto donde apenas nos hemos sentado a pensar –sobre nuestra silla de ruedas– en la utilización del cuerpo de las mujeres como cuerpo adjunto, como mecanismo de soporte a otros cuerpos –masculinos, femeninos, no binaries– sin cuestionamientos, solo porque siempre se hizo así. Y así sigue siendo y perpetuando explotación, precariedad y resignación.

Como hombre discapacitado, la lectura de este libro me hizo más sereno, más feliz y más consciente. Y, sobre todo, me concedió la oportunidad de saber que no estoy solo, que no tengo más derechos que los que exijo que nos concedan y que en mis manos, cada día más rígidas, está hacerlo todo más fácil para todxs: buscando espacios de encuentro, de conversación y de debate que nos lleven a un lugar sin sometimientos patriarcales también desde este margen que habitamos, que habito.

INTRODUCCIÓN:
EL DESEO DE CHLOE

En julio de 2013, Chloe Jennings-White, una científica británica licenciada en Cambridge, decidió «salir del armario» y explicar públicamente lo que sus allegados ya sabían: vivía en un «cuerpo equivocado»[1]. Su corporalidad, bípeda, sana y funcional, le era ajena. Sentía que sus piernas no le pertenecían ya que su «verdadero cuerpo» era uno parapléjico en el que sus extremidades inferiores no tuvieran sensibilidad ni movilidad.

Desde la infancia, Chloe se provocó accidentes a la espera de lograr seccionarse la médula espinal y convertirse en paralítica. Como no lo consiguió, solicitaba ayuda médica para transformar su cuerpo sin tener que poner en riesgo su vida. A la espera de la intervención –para la que ya había encontrado un cirujano, pero cuya tarifa aún no podía asumir– utilizaba silla de ruedas a diario para vivir acorde con su autoimagen corporal de lesionada medular. Quería compartir públicamente su experiencia para luchar contra el estigma que rodea a su condición y

---

[1] Este caso ha sido reportado por numerosos medios de comunicación. La noticia más completa en castellano puede consultarse en: https://www.abc.es/sociedad/20130901/abci-trastorno-biid-apotemnofilia-201308302052.html

plantear su tránsito como equiparable al de la transexualidad, de ahí que se autodenomine *transabled*.

El deseo de Chloe es ininteligible hoy en día.
Produce incredulidad y desagrado, cuando no directamente espanto, más aún cuando explica que no es la
única que lo experimenta como una necesidad perentoria e inevitable. Desde un punto de vista médico, se
considera que estas peticiones son fruto de un trastorno, denominado Body Identity Integrity Disorder
(BIID) que hace que personas sanas se identifiquen
como «discapacitadas», generalmente amputadas. El
término habitual por el que se las conoce es *wannabe*,
aunque de manera minoritaria hay quienes, como
Chloe, buscan politizar su demanda y se denominan
transabled. Los medios de comunicación, así como la
industria cultural contribuyen a su patologización,
retratándoles como mentalmente perturbadas y un
peligro para sí mismas[2]. Al fin y al cabo, ¿cómo va a
desear alguien aniquilar una parte sana y funcional
de su anatomía?

Sin embargo, otros deseos de cambio corporal y
modificación estética radical no reciben el mismo
estigma. En las sociedades contemporáneas, el cuerpo, más aún el femenino o feminizado, es sometido a
un riguroso escrutinio y a una tasación, del ojo inter-

---

[2] Para un análisis más detenido de la representación mediática y
cultural de lo *wannabe/transabled*, puede consultarse García-Santesmases y Centeno (2015) –en el que también analizamos lo *devotee*
y lo *pretender*– o Hurtado (2015). Estos temas se abordarán en
mayor profundidad en el quinto capítulo de este libro.

no y del ajeno, que deriva en continuas intervenciones estéticas y quirúrgicas. Pero esto no es una moda pasajera, como explica la antropología del cuerpo (Esteban, 2004; Le Breton, 2010), desde tiempos inmemoriales se han marcado y modificado los cuerpos en pro de la adecuación cultural, por ejemplo, a través de la sustracción ritual de una parte o la perforación cutánea mediante escarificaciones. El cuerpo se constituye en «marca del individuo» (Le Breton, 2010: 153), un medio a través del cual mostrar y performar una identidad personal y colectiva. Así pues, ¿qué tiene de espeluznante la petición de Chloe Jennings-White de modificar su cuerpo para adecuarlo a su imagen corporal?

El nivel de violencia al que las personas como ella quieren someter a sus cuerpos no dista tanto del que conllevan otras cirugías socialmente aceptadas, médicamente avaladas y públicamente subvencionadas porque están destinadas a «(re)integrar» a la persona en la normalidad: funcional (por ejemplo, estiramiento de huesos de menores con acondroplasia para que alcancen una altura estándar), estética (cirugías de reconstrucción mamaria post-cáncer) o de género (cirugías de reasignación sexual mediante vaginoplastia o faloplastia para personas transexuales). La modificación radical de los cuerpos, incluso la amputación de sus partes, en pro de la mejora de la autoimagen y/o la adecuación de la misma a la identidad, está a la orden del día.

¿Dónde reside, pues, el horror del deseo *transabled*? No es en la amputación en sí, sino en el tipo de cuerpo deseado: un cuerpo abyecto. Un cuerpo que solo puede ser aceptado desde la resignación, nunca desde el deseo, pues conlleva des-incorporar su *capacidad* y, con ella, su productividad, su inserción exitosa en el mercado capitalista. Deseo inasumible en esta crisis perpetua del Estado del Bienestar. De hecho, Chloe explica que, entre otras críticas, la acusan frecuentemente de «querer convertirse en discapacitada para recibir ayudas públicas»[3]. Las personas dependientes deben ser las mínimas posibles, intentar no molestar o, en todo caso, inspirar realizando proezas. Como dice el activista anticapacitista Antonio Centeno (2012) «o eres Stephen Hawking o mejor que te quieras morir pronto, como Ramón Sanpedro». El propio deseo de morir resulta más inteligible que el deseo de querer vivir siendo *discapacitado*.

Y esto, ¿qué tiene que ver con el feminismo? ¿Qué relación puede haber entre una mujer británica que quiere cercenarse la médula espinal y las discu-

---

[3] El libro *Tullidos: austeridad y demonización de las personas discapacitadas*, de la periodista británica Frances Ryan, analiza, de forma brillante y pormenorizada, la relación entre los recortes en ayudas y prestaciones y los discursos que se han generado en RU para justificarlos: «Las personas discapacitadas –antaño motivo de compasión y atención– se han convertido en objetos de sospecha, demonización y desprecio. Y esto se hizo oficial: bajo la austeridad, el único grupo social que supuestamente era intocable pasaba ahora a ser imposible de costear» (Ryan, 2020: 23).

siones actuales en torno al género, la violencia o la sexualidad? ¿Por qué la concepción social, y la organización material, en torno al (potencial) cuerpo dependiente podría ser no solo pertinente sino esencial para la reflexión feminista?

La dependencia es algo que estremece al feminismo, un fantasma que acecha en las sombras y al que se intenta sortear. Desde el feminismo de la primera ola hasta muchas de las reivindicaciones contemporáneas, las mujeres piden igualdad, acceso, oportunidades: «Retirad las barreras, nosotras podemos»: podemos trabajar, competir, luchar, ganar. Incluso, tal y como explica la sexóloga Katherine Angel en *El buen sexo mañana. Mujer y deseo en la era del consentimiento* (2021), el movimiento MeToo y su defensa del consentimiento se basa en un ideal de mujer fuerte y empoderada, que sobrevive a los abusos y los denuncia, que sabe lo que quiere y puede expresarlo, que debe querer decir un sí afirmativo y gozoso.

No es de extrañar que a esta superwoman híper productiva no le casen bien los cuidados, mucho menos los que desvelan su propia vulnerabilidad. Puede que esta sea una de las razones por la que un feminismo que, hoy en día, se proclama interseccional, siga ignorando el capacitismo como generador de desigualdades intrínsecamente ligadas al sistema patriarcal. El capacitismo, tal y como lo define Fiona Campbell (2009), teórica de referencia en Estudios de la Discapacidad (*Disability studies*), refiere a un sistema de jerarquización social que marca determinados cuerpos y funcionamientos como *discapacitados* y, al mismo tiempo, veladamente, otros como *capacitados*. Como ocurre con todos los sistemas de poder, la posición de privilegio (en este caso la posición *capacitada*) no está marcada por lo que parece la forma natural y esperable de estar en el mundo. Mientras que variables como el género o la raza han sido desnaturalizadas –y, por tanto, las discriminaciones que generan visibilizadas y denunciadas– queda un largo camino por recorrer en la lucha contra el capacitismo, que lleve a problematizar las dicotomías (capaz/incapaz, válido/inválido, sano/enfermo) que categorizan y estigmatizan a determinados sujetos.

Pero ¿es el capacitismo suficiente para entender el rechazo visceral que genera el cuerpo deseado por Chloe? ¿Lo que perturba de su devenir corporal es simplemente que se convierta en un cuerpo dependiente e improductivo? ¿O qué papel juegan las expectativas de género a la hora de juzgar su deseo de modificación corporal? ¿Qué ansiedades suscita que quiera abandonar la feminidad normativa (*capacitada*) y abrazar una feminidad diversa?

Se precisa de una mirada feminista para atisbar una respuesta a estas cuestiones. La feminidad es, por defecto, *capacitada*, es decir, cuando se piensa en una «mujer» se está pensando en una mujer con una determinada competencia física e intelectual. Lo mismo ocurre al pensar en el «hombre promedio», se le atribuyen, de manera automática, ciertas características físicas, mentales e intelectuales que parecen naturales pero que responden al tipo ideal *capacitado*. El reverso de la moneda se encuentra en el sujeto promedio *discapacitado* que suele concebirse como desgenerizado, es decir, que la categoría *discapacidad* opaca el género de la persona. Por tanto, capacitismo y patriarcado no actúan de manera independiente, sino que se coproducen a la hora de (in)validar ciertos cuerpos. Y, también, como en el caso de Chloe, ciertos deseos.

Este libro, *El cuerpo deseado,* analiza la intersección entre patriarcado y capacitismo y plantea la conversación tan postergada como urgente entre sus lecturas críticas: el feminismo y el anticapacitismo. Dicha conversación pone en jaque algunas de las tesis históricas de ambos movimientos y obliga a repensar postulados teóricos y consensos activistas. El sujeto ideal del feminismo, la «mujer», ha sido contestado y enriquecido gracias a la crítica interseccional, pero se continúa pensando en términos capacitistas, para muestra de ello algunas propuestas contemporáneas «feministas» sobre la organización de los cuidados o la lucha contra la violencia machista. Asimismo, el anticapacitismo precisa de una mirada feminista que apunte cuestiones problemáticas sobre, por nombrar las discusiones de mayor actualidad, la asistencia sexual o qué significa una «vida independiente». Todos estos debates se abordan en este libro.

La conversación pendiente entre feminismo y anticapacitismo se articula en torno a cinco grandes temas: la identidad de género (Capítulo 1. *Las ruedas del patriarcado*), la organización social de los cuidados (Cap. 2. *Afectos, cargas y alianzas*), la producción y subjetivación de la violencia (Cap. 3. *Heridas y silencios*), la reivindicación de la sexualidad (Cap. 4. *Las prótesis del placer*) y la politización de la diferencia (Cap. 5. *Una identidad en disputa*). Esta propuesta de conversación parte de años de reflexión y activismo, de vínculos personales, de investigaciones cualitativas[4], de docencia académica y de mi implicación en diferentes proyectos políticos, como el documental *Yes, we fuck!*[5].

---

[4] Comencé a trabajar los cruces entre género y *dis/capacidad* durante mis estudios de licenciatura en Sociología y Antropología. Posteriormente, en el Máster de Investigación en Sociología, pude realizar una investigación más profunda sobre el tema: mi TFM (publicado posteriormente en: García-Santesmases Fernández, 2015) abordó la construcción de la identidad de género en personas con lesión medular a través de la elaboración de itinerarios corporales. Y, más adelante, en la tesis doctoral «Cuerpos (im)pertinentes: un análisis *queer-crip* de las posibilidades de subversión desde la diversidad funcional» (García-Santesmases Fernández, 2017), a través de una investigación etnográfica, rastreé la reivindicación en torno a la sexualidad por parte del activismo anticapacitista español. Durante el periodo postdoctoral amplié el foco y pasé a colaborar en investigaciones sobre cuidados, violencia, salud mental y envejecimiento. De todas estas experiencias, colaboraciones y reflexiones, se nutre este libro.

[5] *Yes, we fuck!* (Centeno y de la Morena, 2014) es un proyecto documental que aborda, de manera explícita y radical, la sexualidad en personas con diversidad funcional. Para más información: www.yeswefuck.org.

En consecuencia, este texto se sitúa en el espacio híbrido entre la academia y el activismo, tan incómodo como estimulante.

Cada uno de los cinco capítulos pone en diálogo diferentes fuentes y recursos, como son: los datos etnográficos fruto de las investigaciones realizadas; los productos culturales (novelas, películas, canciones); las vivencias personales (autobiografías, diarios) y colectivas (manifiestos, documentales); y las representaciones mediáticas (prensa, TV, *celebrities*, redes sociales). Todas estas fuentes de información se entienden como narraciones e imaginarios, intencionalmente ficcionados o no, que vertebran el constructo sociocultural denominado *discapacidad*. Y, veladamente, su correlato, también naturalizado y despolitizado, la *capacidad*. Precisamente, para no olvidar que ambas categorías –*capacidad* y *discapacidad*–, no remiten a condiciones biológicas fijas ni a identidades esenciales, en este texto se pondrán en cursiva. Y, cuando se aluda a las personas designadas como *discapacitadas*, se utilizará personas con «diversidad funcional (DF)»[6], término desarrollado en el contexto español por el activismo anticapacitista.

---

[6] Término acuñado por el Foro de Vida Independiente y Divertad (FVID), articulación española del Movimiento de Vida Independiente, en contraposición a designaciones como *discapacidad* o *minusvalía* que denotan negativamente la diferencia. Diversidad funcional busca subrayar que todas las personas funcionan (se desplazan, piensan o se comunican) de manera diferente y que el problema reside en la discriminación que sufren algunos funcionamientos debido al capacitismo vigente. De esta forma, en

Los cincos ejes de discusión propuestos (el género, los cuidados, la violencia, la sexualidad y la politización de la diferencia) están estrechamente relacionados, por lo que su diferenciación es, evidentemente, una mera estrategia analítica. Asimismo, precisarían, para ser entendidos en toda su complejidad y para orientar políticas públicas, de una mirada interseccional mucho más amplia. Al igual que este libro defiende que capacitismo y patriarcado se coproducen y no se pueden ni deben intentar solucionar o diagnosticar problemáticas sociales sin cruzarlos, lo mismo acontece con otros ejes de desigualdad social como el clasismo o el racismo. No obstante, un análisis de este calibre desborda las posibilidades de este texto que se limita a escrudiñar, con tenacidad, uno de los alambres de la madeja interseccional.

En consecuencia, el objetivo de *El cuerpo deseado: la conversación pendiente entre feminismo y anticapacitismo* no es definir una propuesta firme y de consenso sobre cómo se deben de organizar los cuidados, legislar la violencia o qué política de la identidad es más acertada, sino confrontar, e intentar hibridar, la reflexión feminista y la anticapacitista en torno a estas temáticas. Por tanto, este libro plantea más dudas que respuestas, propone incomodar más que solucionar

---

lugar de ser denominadas «personas con discapacidad», este activismo reivindica ser nombradas como «personas discriminadas por su manera de funcionar» lo cual se acota en «personas con diversidad funcional».

con el fin de afrontar una conversación pendiente, urgente y necesaria. En un momento de crispación política y atrincheramiento en esencialismos identitarios, este libro invita a conversar y a atreverse a debatir y disentir desde la complicidad y la potencial alianza.

1: LAS RUEDAS DEL PATRIARCADO
(EL GÉNERO)

«Los símbolos indicadores de váter adaptado solo reconocen un nuevo género: figura en silla de ruedas. No hay diferencias. Al parecer, entre las piernas solo tenemos una silla».

(Marta Allué, 2003: 194)

Cuando se piensa en un «hombre» o en una «mujer», difícilmente lo primero que viene a la mente es una persona ciega, en silla de ruedas o con autismo. Se suele proyectar un individuo sano, con una funcionalidad normativa, que puede moverse, sentir, entender y actuar de forma adecuada a lo que corresponde con la feminidad y la masculinidad. Y las personas con DF no acaban de encajar en esas categorías tal y como explica la activista anticapacitista Marita Iglesias (2012): «No se nos considera ni hombres ni mujeres».

Los baños adaptados para «minusválidos» son el ejemplo por excelencia de este espacio desgenerizado que se atribuye a la *discapacidad*. En ese baño pueden entrar tanto hombres como mujeres con DF, así como personas que les provean de cuidados, ya que se da por hecho que no son susceptibles de generar las mismas tentaciones y riesgos que generizan los baños *capacitados* mixtos. Esta diferencia se debe a que, como introducía Iglesias:

> «en la diversidad funcional se difumina el género; se soslaya el género del individuo para ubicarlo en una identidad mayor (…): la discapacidad, explicada tradicionalmente como un todo homogéneo, excluyente de la individualidad y carente de género, una especie de limbo en el que se nos quiere mantener»[7].

¿Cómo se concreta y encarna ese «limbo de género» al que alude Iglesias? Como bien expresa la metáfora, las personas con diversidad funcional se encuentran en una posición liminal en términos de género[8], pero no externa al sistema patriarcal. Es decir, que la generización de los cuerpos *discapacitados* no sea tan automática ni tan rígida como ocurre con los cuerpos *capacitados*, no quiere decir que no exista. Hay momentos y contextos en que se feminizan o masculinizan, tanto externamente como fruto de un ejercicio de agencia del sujeto. Tal y como investigué en mi tesis doctoral (García-Santesmases Fernández, 2017), las personas con DF ponen en marcha estrategias de contestación y resistencia frente a la discapacitación

---

[7]   http://forovidaindependiente.org/las-mujeres-y-la-diversidad-funcional/

[8] Para un análisis más detallado sobre la diversidad funcional como una posición liminal en relación con el género, se puede consultar: García-Santesmases (2015, 2017) y García-Santesmases y Sanmiquel-Molinero (2020).

y desgenerización. Dichas estrategias pueden pasar por la reafirmación hiperbólica de los roles normativos de feminidad y masculinidad. Pero, también, pueden constituir vías para su subversión mediante la reivindicación crip[9].

Este capítulo pone bajo la lupa la intersección entre género y diversidad funcional y se pregunta: ¿Cómo se construyen y representan las feminidades y masculinidades diversas? ¿Qué similitudes y diferencias hay entre las formas de desgenerizacion de mujeres y hombres con DF? Y, lo más importante, ¿qué devela esto sobre la norma reguladora de género y de *capacidad* y sus posibilidades de subversión?

1.1 Madeline y su vestido blanco

> «Solo soy una chica que persigue sus sueños
> y vive una aventura increíble»[10].
> (Madeline Stuart)

Madeline Stuart es una modelo que, para lograr desfilar en las pasarelas de París y Nueva York, tuvo que

---

[9] La alusión a lo *crip*, que podría traducirse como tullido o lisiado, busca, mediante la reapropiación de la injuria, reclamar la politización radical de la diversidad funcional. De esta forma, se habla de arte *crip* o sexualidad *crip* –para profundizar en los usos de lo *crip*, se puede consultar: García-Santesmases Fernández (2020) o Platero (2013)–. Asimismo, *crip* remite a la «teoría crip» de, entre otros, Robert McRuer, que se explicará más adelante en el apartado 1.3.2. *Cripping gender*.

[10] I am just a girl chasing her dreams and having an amazing adventure.

someter su cuerpo a la modificación habitual en estos mundos. Sus famosas fotos del «antes y el después» del adelgazamiento radical, y las crónicas de su orgullosa madre, explicitan el estricto régimen alimentario y deportivo en el que vive inmersa la joven. Esto no llamaría la atención tratándose de una modelo de este nivel, sin embargo, Madeline presenta una particularidad: tiene síndrome de Down.

Madeline Stuart

Este rasgo determina la forma en que los medios y la sociedad interpretan todas sus acciones, como una suerte de superación personal heroica, en que cuanto más ajusta su cuerpo y sus comportamientos a los estándares de normalidad, paradójicamente, más se alaba su diferencia. Es el ejemplo claro del

«porno inspirador»[11] que denuncian activistas como
Stella Young (2014), aquel que sirve para alimentar
a la morbosa mirada *capacitada* que busca consumir
estas vidas «trágicas» como emotiva fuente de inspiración.

La vida de Madeline es retrasmitida cotidiana-
mente a través de las redes sociales. Sus perfiles,
gestionados por su madre (quien también es su
agente), cuentan con cientos de miles de seguidores.
Uno de los elementos que mayor atención genera es
su relación amorosa con Robbie, un joven que
también tiene DF intelectual. Sus fotos muestran a la
feliz pareja cumpliendo con todos los ritos del amor
romántico: veladas con luz tenue, paseos cogidos de
la mano, celebraciones de aniversario y declaraciones
de amor eterno. Los *likes* aumentan con cada una de
ellas. Su sesión de fotos vestida de novia, con el

---

[11] El concepto de *inspirational porn*, traducido como «porno inspirador» o «porno inspiracional», busca criticar la utilización de la
discapacidad como motivo de inspiración. Fue popularizado por la
activista anticapacitista australiana Stella Young en su charla "I am
not your inspiration, thank you very much" («No soy tu inspiración, muchas gracias») (https://www.youtube.com/watch?v=
8K9Gg164Bsw) y ha sido utilizado por muchas otras, como la
activista colombiana Constanza Pérez (2021), que habla de «porno
inspiracional misérico»: «La sociedad capacitista y adulto-centrista
nos ubica como protagonistas de un porno inspiracional misérico
que promulga la resiliencia y la alegría como virtud inherente a la
persona con discapacidad, bajo un constante 'mírame, si yo puedo,
cualquiera puede'. Por mucho tiempo hemos permitido que nuestras historias de vida sean exhibidas para que la gente 'convencional' logre compararse con nosotros y se sienta mejor consigo
misma».

tradicional traje blanco, acompañada de un atractivo modelo y realizada en un lugar habitual de celebración de este tipo de uniones, también tuvieron una acogida entusiasta.

Madeleine, como figura pública, ¿qué o a quién representa?, ¿son útiles las gafas violetas que muestran que está reproduciendo un modelo tradicional de feminidad? ¿Es simplemente cuestión de género?

Para reflexionar sobre estas cuestiones, en primer lugar, se tiene que plantear cómo se articula la feminidad contemporánea ya que, la categoría mujer, su definición y significado, varía tanto a nivel histórico como socio-cultural. Hoy en día, hay tres áreas constitutivas de la feminidad, y especialmente conflictivas, que son la apariencia física, los cuidados y el desarrollo profesional. En relación con lo primero, como explica Naomi Wolf en *El mito de la belleza* (2020), la imagen corporal es para las mujeres occidentales contemporáneas una de las mayores causas de sufrimiento. La autora explica que, una vez desbancado, gracias al feminismo, el «mito de la feminidad» (que tan bien teorizó Betty Friedan[12]), el patriarcado se rearticula y ya no prescribe la domesticidad y pasividad femenina, sino su hipersexualización y normatividad corporal.

En segundo lugar, si bien parece que la naturalización de la mujer como cuidadora comienza a cuestionarse, las mujeres siguen realizando la mayor

---

[12] Friedan, B. (2016): *La mística de la feminidad.*

parte del trabajo de cuidados, tanto en el ámbito doméstico como profesional. Concretamente, en relación con la maternidad, si bien esta ya no supone el destino único y obligatorio para las mujeres, sí continúa revestido de especial simbolismo. De ahí, la conmoción social que genera no ya el deseo de no maternar, sino el arrepentimiento que puede surgir tras haberlo hecho tal y como explica la socióloga Orna Donath en su libro *Madres arrepentidas* (2016) que detalla el tabú que continúa rodeando esta experiencia.

Sin embargo, estos dos roles de género –la mujer como cuerpo deseable y como cuidadora– se ponen en cuestión cuando se trata de mujeres con diversidad funcional. Las pioneras de los Estudios Feministas de la Discapacidad (Feminist Disability Studies), Michelle Fine y Adrianne Asch (1988) acuñaron la expresión «sexismo sin el pedestal» para referir su situación: sienten las imposiciones de género propias de la feminidad, pero, al mismo tiempo, su exclusión de ellas. Sus cuerpos suelen alejarse del ideal de belleza normativo, por lo que no cumplen con el dictamen de lo que debe ser una mujer «sexualmente deseable» (que no necesariamente deseante). Asimismo, el rol de cuidadoras, sobre todo en relación con la maternidad, les es muchas veces negado. Dicha negación no pasa solo por el plano simbólico (considerar que no serán buenas madres o la escasez de referentes en este sentido) sino que, tal y como se explicará en el siguiente capítulo, continúan practicándose abortos selectivos y esterilizaciones forzosas. Estos elementos marcan una situación de desigualdad entre varones y mujeres con DF tal y como explicaba Marita Iglesias (2012):

> «mientras al hombre con diversidad funcional se le potencia y valora de manera que encuentra más fácilmente su rol social, a la mujer le resulta prácticamente imposible responder a los estándares sociales de madre, esposa, compañera, suministradora de alimentos y gestora del hogar».

Por último, en la feminidad contemporánea, la idea de la independencia económica y el reconocimiento profesional cada vez tiene más peso en la subjetividad femenina. Las mujeres son mayoría en las aulas universitarias y, cada vez más, alcanzan puestos de poder y reconocimiento social. Este modelo difícilmente es alcanzable por parte de las mujeres con DF que ven innumerables obstáculos materiales y simbólicos para desarrollar carreras profesionales. La filósofa Susan Wendell, pionera de los Estudios Feministas de la Discapacidad, explica que lo que más le costó a la hora de aceptar su diagnóstico no fue el cambio estético sino la pérdida de capacidad productiva: el no poder trabajar con la misma intensidad, no llegar a alcanzar las mismas metas y no poder cumplir con los plazos establecidos. Y recrimina que «el feminismo menosprecia los cuerpos que no son fuertes» (Wendell, 1996: 92). Los feminismos tienden a ensalzar un ideal de mujer empoderada y exitosa, que derriba las barreras a su paso y que resulta imposible de encarnar a la perfección.

La perspectiva anticapacitista permite desvelar el capacitismo implícito en muchas de las reivindicaciones feministas y en la propia definición del sujeto de la lucha. Incluirla permite enriquecer discusiones históricas y generar consensos más amplios. Concretamente, la teórica norteamericana Rosemarie Garland-Thomson, en su famoso texto "Integrating disability, transforming feminist theory", apunta a que la teoría feminista debe de repensar los siguientes temas: «las tecnologías reproductivas, el lugar de las diferencias corporales, las particularidades de la opresión, la ética de los cuidados, la construcción del sujeto»[13] (Garland-Thomson, 2002: 2, traducción propia).

Volviendo a Madeline Stuart, la perspectiva anticapacitista permite evidenciar que las gafas violetas no son suficientes para analizar el personaje. Cuando explico su historia en clases de Género o Sexología, las estudiantes tienden a concebir a Madeline como un ejemplo más del «capitalismo de la diversidad» que exotiza la diferencia e hipersexualiza el cuerpo femenino. Sin embargo, cuando he compartido las imágenes y la historia con mujeres con DF intelectual, me he encon-

---

[13] "Reproductive technology, the place of bodily differences, the particularities of oppression, the ethics of care, the construction of the subject."

trado con una respuesta positiva, de admiración e identificación. La lectura depende, evidentemente, de la posición de la persona que analiza, en palabras de Donna Haraway (1988), depende de su «punto de vista», ya que «el conocimiento está situado».

Como explica la ya mencionada Garland-Thomson, las modelos con DF están en una posición ambivalente en relación con el sistema patriarcal:

> «Por un lado, las feministas han desenmascarado acertadamente la apropiación que el capitalismo de consumo hace de las mujeres como objetos sexuales para la gratificación masculina. Por otro lado, estas imágenes implican que el mismo sistema capitalista, en su afán por cosechar nuevos mercados, puede producir contraimágenes y contranarrativas políticamente progresistas, por muy imbuidas que estén en la cultura de consumo. Las imágenes de modelos discapacitadas son, al mismo tiempo, cómplices y críticas con el sistema de belleza que oprime a todas las mujeres. Y sugieren que la cultura de consumo puede proporcionar la materia prima para su propia crítica»[14]. (2002:27)

---

[14] "On the one hand, feminists have rightly unmasked consumer capitalism's appropriation of women as sexual objects for male gratification. On the other hand, these images imply that the same capitalist system in its drive to harvest new markets can produce politically progressive counterimages and counternarratives, however fraught they maybe in their entanglement with consumer culture. Images of disabled fashion models are both complicit with and critical of the beauty system that oppresses all women. Nevertheless, they suggest that consumer culture can provide the raw material for its own critique".

Por tanto, aunque la representación de género de Madeleine puede parecer conservadora, ella ocupa un lugar inesperado para una mujer con diversidad funcional: sexy, exitosa, deseable. Su relación de pareja demuestra que tiene los mismos deseos afectivos y sexuales que cualquiera. Sus fotos vestida de blanco, con la fuerte vinculación simbólica que existe entre matrimonio y reproducción, la posicionan como Mujer y potencial Madre. Y mostrar a una joven con síndrome de Down como modelo de belleza y éxito en lo profesional y lo personal, tiene un potencial transgresor.

En definitiva, la feminidad es un entramado somato-político de disciplinamiento corporal, que requiere de autonomía física, manipulación fina, capacidades sensoriales, cognitivas e intelectuales para ser correctamente performada. Y la *discapacidad* permite evidenciarlo y contribuir a desactivarlo.

1.2 El *playboy* paralizado

> «Solo quiero ser un hombre que ha ido a un concierto con una chica vestida de rojo».
> (Will Traynor, *Yo antes de ti*)

Me Before You (*Yo antes de ti* en su traducción al castellano) comienza con la típica escena romántica hollywoodiense: una pareja heterosexual, joven y atractiva, retoza entre las sábanas de la cama de un lujoso apartamento. En la siguiente escena el chico

(Will) es atropellado por un coche y, como consecuencia, queda tetrapléjico. A partir de ahí, su vida
cambia: no es solo que ya no pueda caminar y no
tenga sensibilidad en la mayor parte de su cuerpo,
sino que se queda sin apartamento de lujo, sin novia
(que le abandona y se casa con su mejor amigo) y,
por supuesto, sin coito mañanero. De hecho, se queda sin ningún tipo de sexo a pesar de que, paradójicamente, la película se centra en el supuesto deseo
entre sus protagonistas: Will y Louisa, la atractiva
joven que contratan como cuidadora.

La película muestra cómo se produce una retro-
alimentación entre capacitismo y patriarcado a la
hora de marcar cuándo el cuerpo de Will es (in)válido
para el placer. Antes del accidente, cuando tiene un
cuerpo «capaz» (activo, autónomo, joven, vigoroso),
la película le muestra como deseable y deseante (varias escenas le retratan como un exitoso *playboy*):
válido para el placer, legítimo para tener una vida
sexual. Tras el accidente, Will pasa a tener un cuerpo
«incapaz» (dependiente, frágil, vulnerable) y «des-
masculinizado», lo que le posiciona como inválido
para el placer, ilegítimo para la sexualidad. Así lo
siente él y así se lo evidencia a Louisa, quien lo acepta
como una verdad irrefutable (así como acepta todo lo
que él dice, en una repetición exasperante del papel
de chica tonta, ridícula y sumisa), por lo que su relación queda sublimada y el contacto físico reducido a

intensas miradas, algún que otro abrazo y un par de besos castos[15].

No se trata de una excepción. Incluso en la serie *Sex Education*, cuya trama se basa en narrar de manera explícita, verbal y visualmente, diferentes vivencias sexuales juveniles, la silla de ruedas pareció agotar la imaginación de los guionistas. En el romance entre la protagonista femenina (Maeve) y su vecino tetraplé-jico –que al menos está encarnado por un actor que comparte su condición– la única escena sexual que acontece está marcada por el pudor: tras unos tími-dos preliminares, rápidamente funde a negro. Pos-teriormente no se alude, ni se reflexiona (como es habitual en la serie) sobre la experiencia sexual. *Sex Education*, que se atreve a abordar, con una perspec-tiva abierta y desenfadada, desde la pansexualidad y el BDSM, hasta los fetiches *anime*, se vuelve recatada cuando aparece la diversidad funcional. Es la única relación sexual, en las cuatro temporadas que lleva la serie, en que no se muestran los cuerpos desnudos de los implicados ni se sugieren prácticas sexuales explícitas entre ellos.

Estas y tantas otras representaciones *mainstreams* sobre la diversidad funcional subliman el deseo

---

[15] Interesante el análisis de esta película que hace la activista anti-capacitista Oyirum:
https://www.youtube.com/watch?v=VZUS8FrzLnQ

sexual[16], en lugar de atreverse a mostrar cómo sería esa relación mediada por un cuerpo (masculino) inmóvil. No es casualidad que se elija mayoritariamente a actores *capacitados* (el denominado *cripface*[17]) para representar este tipo de personajes. Dicha elección permite un juego narrativo en que las escenas eróticas, cuando acontecen, es a través del recuerdo o la ensoñación, por lo que el personaje encarna la funcionalidad normativa (la *capacidad* de caminar, de abrazar, de penetrar) y, en consecuencia, la masculinidad legítima. En *Mar adentro* (2004), el protagonista solo se atrevía a realizar sus deseos en el plano onírico en el que «se liberaba de la silla de ruedas», recuperaba la posición bípeda y, ahí, sí paseaba de la mano y besaba al personaje femenino. La misma trama acontece en *La escafandra y la mariposa (2007)*, basada también en una historia real, en la que el protagonista fantasea con abandonar su cuerpo paralizado y silente para cumplir sus ensoñaciones eróticas.

La masculinidad, al igual que la feminidad, es un *hacer*, un hacer que requiere ciertas capacidades (García-Santesmases Fernández, 2017). Por tanto, los hombres con diversidad funcional se enfrentan, también, a opresiones de género que, si bien no son las mismas

---

[16] Para más información sobre la representación de la masculinidad y de la sexualidad en la diversidad funcional, puede consultarse: «Luces, cámara y erección: la asistencia sexual a escena» (García-Santesmases Fernández, 2019).

[17] Para más información sobre el *cripface*, puede consultarse: http://www.peoplearentbroken.com/?p=611

que las de las mujeres, son igualmente incorporadas. La masculinidad se pone en cuestión cuando el cuerpo no puede performar determinados comportamientos: «la constitución de la masculinidad a través del desempeño corporal determina que el género sea vulnerable cuando el desempeño no puede sostenerse, por ejemplo, como resultado de alguna discapacidad física» (Connell, 2003:86). Los patrones convencionales de socialización masculina (actividad física, competición, uso del espacio público, consumo de alcohol u otros estupefacientes) requieren de una hexis corporal marcada por la fortaleza y la potencia. Por tanto, la masculinidad, al igual que la feminidad, requiere de *capacidad*: de un cuerpo *capacitado* para performar de manera normativa ciertas actitudes y prácticas que son, ellas mismas, productoras de masculinidad.

Si la feminidad es la contención y control del cuerpo, podría aventurarse que la masculinidad es su expansión, su capacidad de ocupación del espacio físico y simbólico. La penetración sería la demostración simbólica por excelencia de esa masculinidad, tal y como explica la política y activista Beatriz Gimeno (2011), cuando alude a esta práctica sexual como perpetuadora de los roles de género basados en la dicotomía entre feminidad/pasividad (impotencia) y masculinidad/actividad (agencia, potencia). De ahí, la vivencia traumática de muchos hombres con diversidad funcional (y de tantos otros) cuando experimentan disfunción eréctil, anorgasmia o incapacidad eyaculatoria. El antropólogo Robert Murphy afirma que estos varones, entre los que él mismo se encuentra cuando escribe el libro *The Body Silent* (1987), sufren una «castración simbólica».

No obstante, no se trata simplemente de una cuestión de desexualización, sino de un proceso de desgenerización más amplio. La película proyecta la idea de que la vida sexual de Will solo era posible, deseable e imaginable antes, cuando/porque era un hombre. Frases como «Will necesita sentirse como un hombre» (dicha por su padre) o la de él mismo en una de las escenas paradigmáticas cuando, tras una cita con Louisa, se detiene, cierra los ojos e imagina «por unos minutos» que «simplemente es un hombre que ha llevado a una chica con un vestido rojo a una fiesta», evidencian que Will (ya) no es un hombre.

En consecuencia, el cuestionamiento a la posición social del varón con diversidad funcional incluye muchos de los roles de género tradicionales (el protector, el cabeza de familia, el proveedor) así como de las adjetivaciones que conllevan (fuerte, valiente, autónomo, autosuficiente). Tom Shakespeare, teórico de referencia de los Estudios de la Discapacidad, explica con relación a las DF adquiridas:

> «La pérdida de destreza física puede suponer una crisis para el hombre sin discapacidad, ya que gran parte de su identidad se construye

sobre la base de la fuerza y la invulnera-
bilidad»[18]. (Shakespeare, 1999: 63).

En su obra pionera *The Sexual Politics of Disability*
(1996), el autor plantea que los varones con diversidad funcional serían más cercanos a otras identidades discriminadas por el sistema heteronormativo,
como los gays, que a los hombres heterosexuales
capaces. En mi tesis doctoral (García-Santesmases,
2017) planteo que los varones con diversidad funcional sufren una «feminización simbólica» que les posiciona en un lugar ambiguo, liminal, en que no acaban
de ser «hombres» pero no por ello devienen «mujeres». Esta feminización es quizá más clara, por
comparación, cuando la *discapacidad* es sobrevenida,
pero acontece en relación con todos los hombres
catalogados como dependientes, es decir, también
afecta a los hombres mayores o a los varones con DF
intelectual.

No obstante, a pesar de ser encarnada por pocos
hombres, la masculinidad hegemónica funciona
como elemento regulador de todos ellos. Tal y como
explica Raewyn Connell (1987), propulsora del concepto, a pesar de que muchos varones se sienten
oprimidos por el sistema patriarcal, contribuyen a su
sostenimiento porque obtienen «dividendos patriar-

---

[18] «It can be a particular crisis for the able-bodied man when he
loses physical prowess, because so much of his identity is cons-
tructed on the basis of strength and invulnerability».

cales», es decir, beneficios concretos de su perpe-
tuación.

La presión sobre las masculinidades subalternas, en este caso la de los hombres con DF que son
simbólicamente feminizados, conduce, en muchos
casos, a intentar performar una masculinidad hiperbólica: hipercompetente, hipersexual. Es habitual
que estos varones luchen por espacios de reconocimiento para los que precisan mostrar que «sí
pueden» (competir, proveer, ganar, penetrar). A este
respecto, resulta muy interesante el análisis de
Santiago Luis Navone (2018) sobre la construcción
de la masculinidad en varones con DF que se pre-
sentan como «ejemplos de vida»[19].

> «La "integración exitosa" se evidencia en la
> medida en que el varón con discapacidad es
> capaz de ocupar espacios discursivos hegemó-
> nicos para la sociedad (la capacidad de realizar
> hazañas, como casarse y tener hijos)».
>
> (Navone, 2018:84)

---

[19] El autor analiza comparativamente el caso de Nick Vujicic (autor
de *bestsellers* como *Una vida sin límites. Inspiración para vivir
completamente feliz* o *Amor sin límites*) y Josito (actor porno tetrapléjico protagonista de *Querer es poder*) y afirma que, a pesar de las
diferencias, «ambos casos manejan valores, como la independencia
(no hay referencias a interdependencia alguna) y el individualismo
(ellos son los únicos, protagonistas de sus historias) vinculados a
la superación de adversidades» (Navone, 2018:88) propios de la
masculinidad hegemónica.

Nick Vujicic

Sean políticos (Pablo Echenique o Franklin D. Roose-velt), actores (Peter Dinklage, *Tyrion* de *Juego de Tronos*), científicos (Stephen Hawking), músicos (El Langui) o *influencers* (Nick Vujicic, autor de best-sellers inspiracionales como *Una vida sin límites*), los hombres famosos, también los que tienen DF, se muestran felizmente casados con mujeres norma-tivas en todos los sentidos. De hecho, es frecuente entre los *influencers* que expliquen que se suele poner en cuestión su *capacidad* sexual (es decir, que sus seguidores dudan o preguntan, principalmente, sobre su erección) y hagan un video (u otro tipo de posicio-namiento público) para afirmar que «sí pueden».

Por tanto, es importante subrayar que la femi-nización simbólica de los varones con diversidad funcional no les desprende de todos sus privilegios de género ni les exime de reproducir estereotipos o ejercer violencia (como se analizará en el tercer capítulo).

En la película con la que comenzaba este apartado, Will, a pesar del cuestionamiento a su masculinidad ya detallado, mantiene una posición de valía y reconocimiento. Mientras que Louisa es humilde, torpe e ignorante; Will es culto y refinado, rico, inteligente, asertivo y directivo. En todo momento, él lleva las riendas de la relación con Louisa, él define lo que se puede y no se puede hacer, cuándo comienza y cuándo finaliza dicha relación. Will es físicamente dependiente y, al mismo tiempo, emocionalmente dominante. La última escena de la película, una vez Will ha fallecido, muestra a Louisa leyendo la carta que él ha dejado y ejecutando sus últimas voluntades. La voz de Will sigue marcando sus pasos.

El fallecimiento del protagonista, tras recibir la eutanasia, es central en la película y responde a la consideración de que «una vida así no vale la pena». De hecho, Louisa es contratada por sus padres con el objetivo oculto de que esta joven pizpireta le demuestre que sí merece la pena vivir. Lo hacen porque son sus padres y le quieren, no obstante, la muerte de Will es presentada como un deseo lógico y esperable dada su condición física (ya que económicamente lo tiene todo resuelto). Además, fílmicamente se muestra de forma romantizada a través de una bucólica escena de despedida, que obvia cualquier alusión explícita al fallecimiento, en que sus padres y Louisa le abrazan, tierna y comprensivamente.

De esta forma, Will opta por negarse a vivir siendo dependiente. La dependencia como un castigo peor que la muerte. Abdica de encarnar una masculinidad contrahegemónica y de abrazar la vulnerabilidad que esto conlleva. Al igual que el personaje de Ramón Sampedro en *Mar adentro*, plantea que «esa vida» puede ser soportable para «otros», pero desde luego no para él: no para él que ha conocido otra cosa, que ha encarnado la *capacidad* y la masculinidad. La narrativa muestra la muerte revestida de heroísmo masculino, el protagonista elije morir porque es «lo que hay que hacer» para conservar la dignidad y, se podría añadir, la masculinidad.

1.3 La capacidad en disputa: Una mirada *crip* al género

Las personas con DF ocupan un espacio liminal en torno al género, como se ha explicado en los apartados anteriores, no acaban de ser reconocidas ni como «mujeres» ni como «hombres». Frente a esta ambigüedad, ponen en marcha distintas estrategias de contestación y resistencia que pueden ir desde hiperbolizar el género (reforzando los roles tradicionales de feminidad y masculinidad) hasta ponerlo en cuestión mediante la apuesta *crip*.

1.3.1. El refugio de la heterosexualidad

«¿Quién más puede decir que su pareja es su voz?».
(Alex Roca, atleta paraolímpico)

Alex Roca es, seguramente, el deportista con DF más conocido en nuestro contexto debido a su éxito como *influencer* (casi medio millón de seguidores solo en Instagram). En su página web y en sus perfiles en redes sociales afirma que no le gusta la palabra *discapacidad*, a pesar de ello, se presenta explicando su diagnóstico («76% de discapacidad debido a una parálisis cerebral») y su manera de funcionar (tiene «movilidad reducida» y se comunica «a través de la lengua de signos»). Su segundo rasgo definitorio como personaje público son sus éxitos deportivos, reseñados por los principales medios de comunicación españoles y detallados en su web, así como su papel como embajador de la Fundación del FC Barcelona. Siempre se define como un luchador, el título de su exitoso libro es claro: *El límite te lo pones tú*.

Por último, su relación sentimental es otro elemento sustancial de su proyección mediática, escenificada detalladamente tanto en sus redes sociales como en las de Mari Carmen, su pareja. Ambos narraron su «romántica» historia a Sara Carbonero quien se emocionó, lágrimas incluidas, al escucharla[20]: Alex y Mari Carmen se conocieron cuando ella asistió

---

[20] https://www.cuatro.com/deportes/entrevista-completa-sara-carbonero-alex-roca_18_2715330168.html

a una de las «charlas inspiradoras» que él frecuentemente imparte. Se hicieron amigos, pero Alex rápidamente le dejó claro que «no le gustaba tener amigas» así que «o comenzaban a salir o dejaban de
verse». Tras dudarlo unos días, ella accedió. Desde
entonces, hace más de 6 años, mantienen una relación sentimental. Además, ella le asiste como intér-
prete de lengua de signos y le acompaña en todas sus
hazañas deportivas. Recientemente, tras una pedida
de mano retrasmitida por redes sociales, se casaron
por todo lo alto.

Alex Roca no es una excepción. Actualmente, cada vez
es más habitual que los *influencers* famosos, que se
nombran *discas, tullidos o discapacitados*, aludan y se
muestren orgullosos de sus relaciones de pareja.
Destaca el caso de los exitosos (solo en YouTube tienen
más de un millón de seguidores) *Squirmy and Grubs,* que
se definen como una "inter-abled couple" («pareja
intercapacitada») y centran sus *stories* en reírse de la
sorpresa y suspicacia que su relación genera. Asimismo,
los *influencers discas* solteros se suelen mostrar abiertos
a iniciar relaciones afectivo-sexuales. Hasta a *First Dates*
–programa televisivo sobre citas a ciegas de gran éxito
en España– ha llegado esta reivindicación[21].

---

[21] Oyirum, activista anticapacitista, ha participado en varias
ediciones del programa. Para conocer su análisis, pueden consultarse sus redes sociales como Instagram: Orgullo tullido (@oyirum).
Asimismo, varios medios de comunicación se hicieron eco de su
primera cita.

El entorno social y familiar suele mostrarse reticente y crítico ante las posibilidades afectivas y sexuales de las personas con DF. En este sentido, las relaciones de pareja pueden constituir demostraciones de autonomía y mecanismos de empoderamiento. En los itinerarios corporales realizados con hombres y mujeres con lesión medular traumática (García-Santesmases, 2015)[22] emergía repetidamente la vivencia de la heterosexualidad como logro personal que contradecía el marco capacitista y reposicionaba el género. En el siguiente fragmento Pedro[23], uno de los parti-

---

[22] Los principales resultados de la investigación y algunas citas aquí recogidas se publicaron originalmente en: «El cuerpo en disputa: cuestionamientos a la identidad de género desde la diversidad funcional» (García-Santesmases, 2015). El estudio se basó en la realización de «itinerarios corporales», propuesta metodológica de la antropóloga Mari Luz Esteban, (2004). Esta técnica de investigación propone acompañar a los sujetos, a partir de una situación conversacional guiada por una serie de preguntas, en un ejercicio de reflexividad sobre su trayectoria corporal. Esta reflexión encarnada está necesariamente condicionada por la identidad de género, de forma que los itinerarios permiten «conocer en qué contexto y bajo qué circunstancias se problematiza en mayor medida esa feminidad (o masculinidad) definida como hegemónica» (Esteban, 2004:54).

[23] En las investigaciones realizadas, como los itinerarios corporales, los nombres de los participantes que aparecen suelen ser pseudónimos utilizados para preservar su anonimato y la confidencialidad de los datos. No obstante, en otras investigaciones realizadas, sobre todo en colaboración con activistas, aparecen los nombres reales de las personas que así lo quisieron en un ejercicio de agencia que busca visibilizar su contribución en la producción de conocimiento. En este segundo caso, las personas aparecen con su nombre y apellidos reales, mientras que en los testimonios anonimizados se utiliza un nombre de pila ficticio.

cipantes de la investigación, lo sitúa como un elemento de normalización:

> «Estar casado con una mujer, además muy guapa, la gente es como "si tu mujer encima es muy guapa". Quizá sí, quizá te normaliza. También con los niños haciendo de padre y tal, sí, posiblemente sí te das cuenta de que la gente te ve con otros ojos. No cambia mi concepto de mí mismo, pero sí probablemente el de los demás». (Pedro, *Itinerario corporal*, 2013)

La demostración de la heterosexualidad es una vía de afirmación de género, de inclusión en un espacio de reconocimiento, el de la feminidad o el de la masculinidad, que está en entredicho cuando se habla de diversidad funcional. No obstante, esta reivindicación de la pareja y del amor romántico que busca subvertir la desgenerización capacitista, no depende solo de las ganas y de la agencia individual, sino que es más frecuente, y posible, para los hombres que para las mujeres con DF.

Asimismo, no se logra contradecir el capacitismo logrando «una pareja cualquiera», sino que, al igual que ocurre entre las personas sin DF, las potenciales relaciones están valoradas en función de determinados marcadores de deseabilidad. Tal y como explica la socióloga Eva Illouz (2017, 2020), cuyo análisis se centra en la heterosexualidad pero apunta claves que pueden extrapolarse más allá, en la sociedad actual las relaciones afectivas y sexuales se establecen en un mercado en que los sujetos implicados funcionan como agentes que intercambian determinados capitales (como el capital erótico, el económico o el cultural). Illouz analiza cómo juegan variables como la clase social o el género en estos intercambios, pero no alude al eje *dis/capacidad*. Y el capacitismo, al igual que otros ejes de desigualdad, marca una posición de ventaja (la *capacidad*) y otra de desventaja (la *discapacidad*) en el mercado afectivo-sexual.

Las personas con DF están imbuidas en esos marcos de sentido y deseabilidad. Por ejemplo, Alba, una de las participantes, señalaba su sorpresa y emoción al sentirse deseada por una persona que no compartía su condición: «Al no ir él en silla dices "¡ostras!" le puedes gustar también a gente que no vaya en silla» (Alba, *Itinerario corporal*, 2013). En la misma línea, ya no solo que la pareja no tenga DF es un plus, sino que no esté relacionada con el mundo médico y de los cuidados, tal y como explicaba Marta:

> «Me encontré al novio que tenía cuando tuve el accidente, así por casualidad, y me dijo que sabía que yo tenía una pareja y me pregunto "¿pero tiene discapacidad?". Es la primera pregunta de la gente, y te da la satisfacción de decir que no. Y luego la segunda parte es "¿es un enfermero, es un médico, es un fisioterapeuta?", pues no, doble no. Claro, en el inicio, cuando estás en la fase inicial, pues te sientes satisfecha». (Marta, *Itinerario corporal*, 2013)

Tanto los varones como las mujeres con DF tienden a interiorizar los marcos de deseo normativos y, tal y como muestran las citas anteriores, desean aquello mejor valorado socialmente, en este caso, el cuerpo *capacitado*. No obstante, es interesante cómo varía la definición de cuerpo *capacitado* según el género y cómo esto es reflejo de una lógica heterosexual más amplia[24]. Los hombres con lesión medular entrevistados priorizaban el capital erótico, es decir, que su potencial pareja fuera convencionalmente atractiva ya que dicho atractivo repercute en el estatus del hombre heterosexual. Por su parte, las mujeres se mostraban más flexibles en cuanto a su «tipo de hombre ideal», si bien también priorizaban el cuerpo *capacitado*, sobre todo aludiendo a su *capacidad* sexual, en contraposición a la visión del varón *discapacitado* como «impotente».

> «Sara: Tampoco conozco mucho, pero bueno por lo que sé no pueden manejar sin medicación o sin pincharse. Entonces, al menos con el chico que estuve era como "no hace falta que me toques ahí porque no siento nada", ¿no? y era un poco eso. No sé si todos, si a todos les pasa lo mismo eh, tampoco he investigado demasiado (risas)».

---

[24] La investigación mencionada (García-Santesmases, 2015) solo contaba con participantes que se definían como heterosexuales. Para un análisis de cómo se cruzan la experiencia de diversidad funcional y lo LGTBI, se pude consultar: González (2005); Guzmán y Platero (2012); Platero y Rosón (2012); Pieri (2023).

En definitiva, la *discapacidad* no afecta solo a la normatividad estética, es decir, al capital erótico del cuerpo. También, y quizá más importante, a la regulación funcional de lo que se espera de ese cuerpo en la esfera sexual y afectiva.

1.3.2. *Cripping gender*

> «Me identifico como "elle" (*theyness*) como resultado de mi agotador intento por encajar en el estándar de hombre marica, siempre imposible de encarnar a la perfección».
>
> (Andrew Gurza, Instagram)

Performar el género, más aún en un contexto potencialmente afectivo y erótico, no es fácil, ni automático, ni natural. Se trata de un aprendizaje encarnado. La docuserie *The Love on the Spectrum* (*El amor en el espectro autista*) se basa en «entrenar» a personas con trastorno del espectro autista para que logren una relación de pareja: «No siempre es fácil encontrar el amor. Para los jóvenes con trastorno del espectro autista, explorar el impredecible mundo de las citas es todavía más complicado»[25]. Dicho entrenamiento se basa en explicitar el sentido común sobre lo que (no) se considera adecuado en una cita y desvela que la coreografía habitual del amor romántico parte de unos presupuestos capacitistas de com-

---

[25] Disponible en: https://www.netflix.com/es/title/81265493

prensión de la interacción; expresión y regulación de los sentimientos; cercanía física, cuidado estético e higiene personal; y/o autonomía física para acceder, permanecer y abandonar los espacios.

La supuesta comicidad del programa se basa en los «fallos» de sus protagonistas, que «se equivocan» a la hora de seguir las directrices y enseñanzas y, por ejemplo, hablan demasiado, abordan temas incómodos o, por el contrario, se quedan callados y no miran a su cita a los ojos. Sin embargo, una vez se suceden los capítulos y se explicita que las normas de cortesía y seducción son estándar y deben de resultar universalizables, lo que termina resultando ridículo es dicho catálogo prefijado. Y lo que comienza a resultar atractivo es cómo los personajes se salen de la norma y se relacionan de formas inesperadas y, muchas veces, más interesantes.

Por tanto, la exclusión de los modelos de género normativos puede conducir a encarnar la feminidad y la masculinidad de manera distinta, incluso, disidente. Según Monique Wittig (2006) «las lesbianas no son mujeres», refiriéndose a que la categoría «mujer» solo tiene sentido, y se constituye, dentro del marco de la heterosexualidad. Para la autora la heterosexualidad no es simplemente una orientación del deseo, sino un sistema de poder que prescribe posiciones de género. En este sentido, el lesbianismo se plantea como una opción política que permite articular una feminidad que no se establece en relación y desventaja frente a la identidad masculina.

Desde las teorizaciones de Wittig, los feminismos han seguido discutiendo sobre qué significa ser mujer, qué presiones conlleva y qué posibilidades hay para subvertirlas.

No obstante, la *dis/capacidad* continúa siendo el último «etc.» del análisis interseccional feminista, aun cuando ofrece claves para repensar no solo la feminidad sino también la masculinidad y la propia heteronorma.

La perspectiva anticapacitista permite ampliar el foco del feminismo y contemplar que hay muchas mujeres que, por diferentes razones, son colocadas «fuera de juego» y esto abre posibilidades para ampliar, redefinir y contestar la feminidad. La filósofa española teórica de los Estudios de la Discapacidad, Melania Moscoso, afirma:

> «La incorporación de la discapacidad al discurso feminista no solo se justifica como la reparación de una ausencia conspicua. Contribuye a iluminar el exterior constitutivo sobre el que se construye el sujeto político del feminismo, y a dislocar las solidificaciones de significado sobre posiciones populares que han acaparado para sí la reivindicación por género a favor de otras que pueden reivindicar para sí el título de mujeres con idéntico derecho». (Moscoso, 2007: 195)

Desde la perspectiva de las mujeres con DF, solo a nivel español ya se pueden constatar diferentes terminologías y enunciaciones que buscan reivindicar una feminidad *outsider:* la activista Carme Riu y sus compañeras llevan décadas nombrándose como «mujeres no estándar»; Soledad Arnau se definía como una «feminidad diversa»; y Elena Prous llama a la rebelión de las «vaginas incontenidas» (es decir, de aquellas que no pueden controlar los esfínteres) en su blog «La incontenida: escatologías de una coja indigna».

La edad es otra variable que se suele olvidar cuando se complejiza la categoría mujer, consecuencia del edadismo imperante. Y esta variable tiene un potencial contra-hegemónico, de cuestionamiento de los elementos vertebrales de la feminidad normativa. Según la investigadora Anna Freixas (2021), experta en envejecimiento y género, las mujeres mayores tienden a liberarse de ciertas presiones de género, tanto en torno al canon corporal y estético (se ponen ropa más cómoda, dejan de teñirse) como a las actitudes y comportamiento (se rebelan contra el silencio y el segundo plano al que han estado relegadas).

De la misma forma, la masculinidad de los varones con DF presenta puntos de fuga, lo que les coloca en un lugar idóneo para repensar la virilidad tradicional y proponer otras formas de encarnar y performar eso de «ser hombre». El activista anticapacitista, Antonio Centeno (2017), reflexiona en un artículo sobre su proceso de deconstrucción de la masculinidad: «A los 13 años me rompí el cuello y con ello cualquier referencia válida sobre lo que podía significar "ser hombre"». Esta expulsión de la masculinidad hegemónica, que le condujo a tener que repensarse en torno a tres aspectos (el cuerpo, la sexualidad y los afectos), potencia:

> «asumir la fragilidad del cuerpo y su dimensión comunitaria, vivir una sexualidad menos normativa y más lúdica o construir los vínculos afectivos desde la comunicación y los cuidados emocionales»[26].

La masculinidad hegemónica es una encarnación minoritaria, un estatus difícilmente alcanzable. La mayor parte de hombres se sienten, en mayor o menor medida, fallidos o, incluso, farsantes. El sociólogo trans Miquel Missé lo explica muy bien cuando, precisamente debatiendo[27] con Antonio Centeno, dice que él pensaba que los hombres cis eran «los originales» y los trans «las copias» y que, con el tiempo, se dio cuenta de que el original es una ficción y todos los hombres se sienten simples imitadores. En desvelar esa imitación de género es, precisamente, donde reside el potencial de desactivarlo.

Volviendo a la modelo con síndrome de Down Madeline Stuart, el potencial subversivo de su expo-

---

[26]   https://www.eldiario.es/interferencias/diversidad-uncional-masculinidad_132_3027662.html

[27] Mesa redonda: «¿Existen los hombres de verdad?» (06-10-2022) celebrada con motivo de la inauguración del Centro de Masculinidades Plural de Barcelona disponible en:
https://www.youtube.com/watch?v=LrF_b9XkaRk

sición pública reside en que su performance de género resulta, muchas veces de manera pública y notoria,
fallida. En uno de los videos de sus desfiles[28], Madeline, antes de abandonar la pasarela, se gira hacia el
público, desliza su cuerpo lentamente hacia abajo y
lo acaricia de manera provocativa mientras mira de
forma directa e insinuante. Este *happy ending,* que
resultaría poco reseñable en una modelo normativa,
llama la atención en Madeline. El público irrumpe en
aplausos emocionados ante la normalización patriarcal y capacitista de la joven. Pero, quizá, este aplauso
también busca tapar rápidamente la incomodidad
que su actuación genera. Madeleine se mueve con
convicción, pero un poco más lenta de lo que debería,
con menor precisión de la esperada; sus movimientos
no acaban de resultar sensuales porque ponen de
manifiesto que intentan serlo, desvelan el artificio
detrás de la aparente naturalidad de esta performance
femenina. Como explica la teórica norteamericana,
referente de la teoría queer, Judith Butler:

> «Así como las superficies corporales se pre-
> sentan como lo natural, estas superficies
> pueden convertirse en el sitio de una actuación
> disonante y desnaturalizada que descubre el
> carácter performativo de lo natural en sí».
> (Butler, 2007:284).

---

[28] El video del desfile analizado puede consultarse en:
https://www.youtube.com/watch?v=5mqvuTz1vac&ab_channel
=GoodlifeHealthClubs

La actuación de Madeleine evidencia que no se espera
solo que las mujeres sean sensuales, sino que lo sean
naturalmente, sin que se note el esfuerzo y aprendizaje
que esto conlleva. La feminidad (exitosa) se asienta
sobre unas nociones de cuerpo que son patriarcales
pero, también, son capacitistas, ya que el ideal de
belleza y deseabilidad precisa de una rigurosa capacidad de control y manipulación del propio cuerpo.
De esta forma, para cumplir con el modelo de belleza
femenino, no solo hay que tener un cuerpo joven,
delgado, tonificado, simétrico, preferiblemente blanco (Madeleine cumple con estos requisitos) sino que
hay que tener la *capacidad* de controlar ese cuerpo y
aplicarle las tecnologías de género pertinentes. Asimismo, la masculinidad, también requiere de un
hacer *capacitado* y capacitista pues ambos están
regulados por el sistema de «capacidad obligatoria»
(*able-bodiedness*).

Dicho sistema fue teorizado por, entre otros
autores, Robert McRuer en *Teoría Crip*. Basándose en
la propuesta butleriana de la performatividad de
género[29], McRuer propone que también existe una

---

[29] Judith Butler en *El género en disputa* (1990/2007) plantea el
género como una reiteración de prácticas y conductas, un hacer
constante y cotidiano que a fuerza de repetirse termina tomando
entidad propia sin que haya un original al que remitirse. El género
se produce performativamente pero, al mismo tiempo, esta performatividad no es una actuación particular definida por el sujeto,
sino que está estrechamente marcada y vigilada por las prácticas
reguladoras de la coherencia de género. Posteriormente, en *Cuerpos
que importan. Sobre los límites materiales y discursivos del «sexo»* (2003)

«capacidad obligatoria» que es la que marca ciertos cuerpos como in/capaces. Según el autor, la *capacidad obligatoria* actúa, al igual que la *heterosexualidad obligatoria*, como mecanismo de regulación corporal y, de hecho, ambos sistemas se complementan:

> «El sistema de capacidad obligatoria, que en cierto sentido produce la discapacidad, está completamente entrelazado con el sistema de heterosexualidad obligatoria que produce lo queer: que, de hecho, la heterosexualidad obligatoria depende de la capacidad obligatoria, y viceversa». (McRuer, 2021: 18)

Continuando la analogía con la teoría queer, McRuer (2016), en conversación con Melania Moscoso y Soledad Arnau, afirma que al igual que la reiteración del género que teoriza Butler conlleva indefectiblemente fracasos, el «compulsory able-bodiedness es igualmente imposible de alcanzar a la perfección y sin contradicción» (2016: 141). Es decir, tanto la teoría *queer* como la teoría *crip* proponen, respectivamente, que género y *capacidad* son ideales regulatorios que en su propia reiteración conllevan indefectiblemente errores, disrupciones, transformaciones; he ahí donde se abren las posibilidades a la subversión.

> «Precisamente porque estos sistemas dependen de una existencia queer/discapacitada que nun-

---

la autora precisa que no se trata de negar la «materialidad del cuerpo», sino de entender que solo se puede acceder a esta a través de los discursos, prácticas y normas sociales.

> ca puede ser contenida del todo, la hegemonía
> de la heterosexualidad capacitista siempre está
> en un riesgo de colapso». (McRuer, 2021: 54)

En este sentido, una performance disidente en términos de género y/o *capacidad*, como el modelaje de Madeline, hace bambolear ambos sistemas.

Conclusiones

El diálogo entre feminismo y anticapacitismo es imprescindible no solo para entender cómo se desgeneriza la *dis/capacidad* sino cómo se *dis/capacita* el género. En relación con lo primero, las teorías feministas sobre el género como construcción sociocultural y, posteriormente, como elemento performativo, permiten desvelar la des-generización que sufren las personas con DF. No se les acaba de considerar ni hombres ni mujeres ya que no cumplen con los roles, performances, expectativas y asignaciones que conllevan la feminidad y masculinidad. Esta posición *outsider*, igual que ocurre con otras identidades discriminadas, abre posibilidades para repensar, flexibilizar e, incluso, romper con la normatividad de género. Asimismo, la perspectiva anticapacitista muestra que la performance de género normativa, legible, deseable, es necesariamente una performance *capacitada* (García-Santesmases Fernández, 2017). Y este proceso también acontece a la inversa: una performance *discapacitada* interrumpe el género, lo pone en cuestión (McRuer, 2021). En este sentido, el capacitismo puede constituir las ruedas que impulsan al patriarcado pero, asimismo, el anti-capacitismo tiene el potencial de contribuir a su descarrilamiento.

2: AFECTOS, DEUDAS Y ALIANZAS (LOS CUIDADOS)

«Ratifican la sanción al 'esclavista' Echenique por
contratar en negro a su asistente»[30].
(Titular de *Ok Diario*)

La forma en la que el político de izquierdas Pablo Echenique (que nació con una atrofia muscular espinal calificada administrativamente como «una discapacidad del 88%») organiza sus cuidados diarios fue portada de los principales medios de comunicación cuando la derecha española denunció la supuesta contratación irregular de su asistente personal (AP)[31]. Se desató el linchamiento mediático no solo por la supuesta ilegalidad del acto, sino por la inmoralidad de este, ¿cómo podía presumir de progresista mientras realizaba pagos en negro?

---

[30] https://okdiario.com/espana/ratifican-sancion-echenique-contratar-forma-irregular-asistente-3609348

[31] Asistente personal (AP) es el/la profesional contratada por la persona con DF que ejecuta las acciones cotidianas que esta precisa para desarrollar su vida, desde el apoyo en la higiene o la alimentación hasta el soporte para el ocio o el transporte. Suele utilizarse la metáfora de que los APs son las manos, o los pies, de la persona con DF. De esta forma, a diferencia de un cuidador tradicional, el asistente no prescribe ni decide, sino que es la persona con DF la que toma las decisiones sobre su propia vida.

¿Cómo podía defender fervientemente los derechos de los vulnerables mientras mantenía a una persona inmigrante trabajando en situación irregular?

Pablo Echenique

Sin embargo, curiosamente, cuando un par de años antes su mujer, «el amor de su vida» tal y como siempre se refiere a ella el político, explicó que abandonó su carrera científica (estaba haciendo un Doctorado en Biología Molecular) para convertirse en su cuidadora, este arreglo no despertó ni sorpresa ni controversia. Mariela Nelo, que así se llama su cónyuge, lo expuso pública y orgullosamente en el artículo «De cómo pasé de ser una chica "normal" a esposa y asistente personal de un retrón»[32], acompa-

---

[32] Publicado el 19 de abril de 2014 por *El Diario*, en el blog *De Retrones y Hombres*, puede consultarse en:
https://www.eldiario.es/retrones/asistencia-personal-cuidados-familiares-amor-sexo-discapacidad_132_4936838.html

ñado de una fotografía en la que aparecen cariño-
samente abrazados.

El texto explica que, tras conocer a Pablo Echenique y comenzar una relación sentimental, pasó a
atenderle, a tiempo completo, en sus necesidades
diarias (higiene, alimentación, transporte, toma de
medicamentos, etc.). Describe la felicidad que le re-
porta este acuerdo ya que les permite tener intimidad
y ser flexibles en los horarios, la cual solo se ve
ensombrecida, según explica, por sus limitaciones
corporales («El único inconveniente que le veo y que
tengo la suerte de poder solventar es que, como todas
las mortales, hay días en los que estoy cansada o enferma»). No obstante, muestra su satisfacción por tener el
apoyo de la madre de Echenique para sortearlas:

> «soy una chica afortunada. Tengo la suerte de
> que vivamos también con mi suegra. En contra
> de lo que piensa mucha gente (y lo que cuen-
> tan muchos chistes), yo soy muy feliz de vivir
> con ella y nos llevamos muy bien».

Asimismo, se define como la «asistente» de su
marido (y también denomina a su suegra como tal)
propiciando la confusión popular entre la asistencia
personal y otros trabajos similares relacionados con
el mundo de los cuidados, tal y como denunciaron
activistas anticapacitistas[33]. Tras la publicación del
post de Mariela, ni la derecha ni las redes sociales se

---

[33] Ver el texto de Soledad Arnau (2014) «La falacia del amor romántico. Cuando "esposa" y "asistente personal" son un solo cuerpo».

escandalizaron. No se criticó la potencial incoherencia entre su posicionamiento progresista y un arreglo doméstico de cuidados sostenido por el «cariño» y el trabajo no pagado de las mujeres de su entorno, una de las cuales, por cierto, también es una persona de origen migrante (Mariela procede de Venezuela). Que a Pablo Echenique le cuiden su mujer y su madre no despierta sorpresa ni controversia porque para la mayor parte de personas, si bien seguramente no es lo ideal, sí es lo «normal». No obstante, ¿se puede entender y juzgar este caso exclusivamente como una cuestión de género en que se posiciona a las mujeres en el rol tradicional de cuidadoras? ¿Son suficientes las gafas violetas para analizar el entramado de relaciones y ajustes que sostienen los cuidados diarios de Pablo Echenique?

El activismo de personas con DF, tal y como se plantea en el primer apartado de este capítulo, reivindica «una vida independiente» y la toma de decisiones («Nada sobre nosotros/as, sin nosotros/as») sobre los cuidados que sostienen sus vidas. En este sentido, critican que si bien la teoría y la reivindicación feminista, tal y como explica el segundo apartado, ha identificado y desmenuzado el mandato de género que constituyen los cuidados, no ha prestado igual atención a la otra cara de la moneda: la de la persona que los recibe. En tercer lugar, este capítulo analiza la perspectiva bioética subyacente a esta disputa que alcanza discusiones de actualidad como el derecho al aborto o a la eutanasia. Para concluir, se plantean algunas claves para promover cuidar(nos) desde una perspectiva feminista y anticapacitista.

2.1 Las manos de la dependencia

> «Mi padre apenas tiene fuerzas para cogerme, me arrastra más que me levanta. Intento quitarme el pipi del medio día y adelantar el de la noche. No tengo hambre, ni tengo sed. Si no puedo aguantar más, me meo encima, intento hacerlo poco a poco para mojar la ropa y no estropear las baterías de la silla. Llamo a alguna de mis hermanas y, si puede escaparse del trabajo, viene un momento, me cambia y recoge todo antes de que lleguen mis padres».
>
> (Marga Alonso, *Nacida con AMC*)

El relato de Marga, activista anticapacitista, permite situar los cuidados no como una cuestión teórica o abstracta, sino como una práctica diaria y precaria que sostiene la vida de millones de personas en el mundo. Desde el activismo de vida independiente y desde las teorizaciones académicas de los Estudios de la Discapacidad, el propio concepto de cuidados resulta problemático ya que resuenan los ecos de la medicalización de la diversidad funcional. Los cuidados, desde esta perspectiva, remiten a una posición subalterna por parte de la persona con DF: simples objetos de la atención de la persona que cuida, sea familiar o profesional, que es quien sabe y decide. En contraposición, se defienden conceptos como «vida independiente» y figuras como las del «asistente personal» que difieren, en teorización y prácticas, de las fórmulas tradicionales del cuidado.

Tal y como explican Palacios y Romañach (2006) cuando este activismo habla de «vida independiente» no se está refiriendo a una forma de autonomía física basada en que la persona «haga las cosas por sí misma de manera independiente», sino a la toma de decisiones en primera persona. En este sentido, el Movimiento de Vida Independiente (MVI), que tiene su origen en el EE. UU. de los años 70, se basa en tres principios[34]:

- o **Des-institucionalización:** apoyos para vivir incluidos en la comunidad y una dura crítica a la segregación que constituyen las residencias y otras instituciones tradicionales.
- o **Des-profesionalización:** toma de decisiones en primera persona bajo el lema «Nada sobre nosotros/as sin nosotros/as».
- o **Des-medicalización:** crítica a la concepción, propia del Modelo Médico-Rehabilitador, de la *discapacidad* como una patología

---

[34] A pesar de que estos principios son constitutivos del MVI, este se origina y evoluciona de diferentes maneras en los distintos contextos geográficos. Para más información, puede consultarse: *El Movimiento de Vida Independiente. Experiencias internacionales* (García Alonso, coord., 2003).

que debe ser curada, en lugar de una forma diferente y valiosa de estar en el mundo.

El MVI llega al Estado español en los años 2000 cuando un pequeño grupo de personas crean el Foro de Vida Independiente y Divertad (FVID)[35], una comunidad virtual, autogestionada, que aboga por la participación en primera persona, distanciándose de los valores y modos de las grandes organizaciones del mundo asociativo de la *discapacidad* (como el CERMI o la ONCE). Una de sus principales apuestas es por la asistencia personal y, de hecho, logran que la mal llamada Ley de Dependencia (*Ley 39/2006, de 14 de diciembre, de Promoción de la Autonomía Personal y Atención a las personas en situación de dependencia*) la incluyera[36] en su cartera de prestaciones. Esto permitió poner en marcha las primeras Oficinas de Vida Independiente (OVIs). Hoy, ante la decepción con las

---

[35] Tal y como explican en su página web: «El Foro de Vida Independiente y Divertad tiene su origen a mediados del año 2001 con el objetivo de impulsar en España el movimiento de Vida Independiente, surgido en EE. UU. en 1962 y muy arraigado en Europa en la actualidad. La palabra Divertad es una palabra inventada. Síntesis de dignidad y libertad, apunta al objetivo último del Foro, la plena consecución de estas por las personas discriminadas por su diversidad, en este caso funcional. Somos una comunidad constituida por personas de toda España, y de otros países, que conformamos un foro de reflexión filosófica y de lucha por los derechos de las personas con diversidad funcional».

[36] Para conocer más sobre este proceso, puede consultarse «La Operación Pozoblanco o la construcción de una identidad colectiva», disponible en: http://forovidaindependiente.org/la-opera cion-pozoblanco-o-la-construccion-de-una-identidad-colectiva/

prestaciones que de facto otorga dicha ley, reclaman la tramitación de una Ley de Vida Independiente[37].

No obstante, si bien el MVI es inicialmente liderado por personas con DF física, es importante señalar que la noción de vida independiente se extiende más allá, de forma que se amplía y tensiona su definición original, tal y como muestra la investigación «Mapeando la vida independiente» (2023, en prensa). En relación con la DF intelectual, según la tesis de Joan Moyà (2018), si bien no hay consenso en torno a cuál es el primer proyecto de vida independiente en España, hay dos propuestas de referencia: el modelo de las Escuelas de Vida en Murcia y el programa «Me voy a casa» de la Fundació Catalana Síndrome de Down. Ambas vienen influidas por el 'paradigma de los apoyos' que se basa en los principios de «autodeterminación» y «normalización» para promover que las personas con DF intelectual puedan tomar el control de sus vidas (Moyà, 2018). Es interesante cómo en este campo la asistencia personal no resulta una figura tan central en la reivindicación de la vida independiente, como sí lo son las viviendas con apoyo o la integración laboral.

Paralelamente al desarrollo del MVI, comienza la teorización del anticapacitismo como un campo propio de las Ciencias Sociales. De esta forma, el germen de los Estudios de la Discapacidad se basa en la de-

---

[37] http://forovidaindependiente.org/tag/ley-vida-independiente/

fensa de un Modelo Social de la Discapacidad. Dicho modelo, impulsado por la Union of the Physically Impaired Against Segregation (1976), busca señalar las barreras «discapacitantes» y poner el énfasis en la discriminación social. Tal y como explica uno de sus precursores, Mike Oliver (1983), mientras que el Modelo Médico parte de una perspectiva individual que marca el cuerpo *discapacitado* como un cuerpo deficitario, el Modelo Social lo define como un cuerpo discriminado por la sociedad. De esta forma, su apuesta se basa en distinguir el *impairment* (el componente biológico, que podría traducirse en castellano como «impedimento» o «disfunción») y la *disability* (la opresión social impuesta sobre las personas «impedidas»).

Es importante mencionar que los diferentes paradigmas que definen la *discapacidad* no se sobreponen históricamente, sino que coexisten en los discursos y prácticas sociales. Hoy en día, ostenta la hegemonía el Modelo Médico a pesar de que el Modelo Social es el oficial a nivel institucional y legislativo (la mayor parte de países, incluida España, han ratificado la *Convención Internacional sobre los Derechos de las Personas con Discapacidad* de 2006). Asimismo, en muchos discursos y prácticas, continúa resonando el Modelo Eugenésico o de Prescindencia (Palacios y Romañach, 2006) que sitúa la diversidad funcional como algo indeseable, de lo que la sociedad debe prescindir, tal y como ocurrió, por ejemplo, durante la Alemania

Nazi a través del programa *Ak-tion T4* de exterminio de población «improductiva», «enferma» o «defectuosa».

IV Marcha por la visibilidad de la diversidad funcional.
Foto cedida por el Foro de Vida Independiente.

Pero también, en según qué espacios, se abre hueco el Modelo de la Diversidad, impulsado por el FVID, que promueve los principios del MVI (des-institucionalización, des-medicalización y des-pro-fesionalización) a partir de una reflexión bioética y la defensa del término diversidad funcional. Este cambio de terminología supone, también, un cambio de enunciación:

«Es la primera vez en la historia que se pro-pone un cambio hacia una terminología no

negativa sobre la diversidad funcional, y que
esa propuesta parte exclusivamente de las mujeres y hombres con diversidad funcional».
(Foro de Vida Independiente, 2005:5)

El Modelo de la Diversidad podría situarse, para
ubicarlo en la discusión internacional, como parte del
giro epistemológico que los Estudios Críticos de la
Discapacidad[38] plantean, desde los años 2000, al
Modelo Social. Entre otras cuestiones, los Estudios
Críticos de la Discapacidad problematizan la distinción clásica entre *impairment* (entendido como el
componente biológico) y *disability* (referente a la parte
social) ya que ambos elementos están íntimamente
relacionados y no puede establecerse una distinción
nítida entre ellos. Esta rama bebe, en gran medida, de
la crítica que varias autoras y activistas desarrollaron
en el ámbito anglosajón. Ya en los años 90, la pionera
de los Estudios Feministas de la Discapacidad Jenny
Morris (1996) criticaba la «negación del cuerpo» del
Modelo Social que, en su énfasis por denunciar las
barreras sociales que «discapacitan» a los individuos,
silenciaba la experiencia de la diferencia corporal y la
importancia de la reflexión al respecto.

Esta autora, junto a otras coetáneas, enfatizaron
la importancia de hablar de la vulnerabilidad y el

---

[38] Para profundizar en la génesis y desarrollo de los ECD, consultar: «Los Estudios de la Dis/capacidad: una propuesta no
individualizante para interrogar críticamente la producción del
cuerpo-sujeto discapacitado». (Sanmiquel-Molinero, 2020)

sufrimiento que puede acarrear la diferencia, y de hacerlo en primera persona, sin por ello perpetuar la «tesis de la tragedia personal» (aquella que plantea la *discapacidad* como una condición necesariamente trágica). Por ejemplo, la ya mencionada Susan Wendell, en su clásico *The Rejected Body: Feminist Philosophical Reflections on Disability,* reflexiona sobre los elementos de la experiencia de la DF y la enfermedad –tanto físicos (dolor crónico, fatiga) como emocionales (vergüenza, humillación)– que constituyen un tabú para el MVI. En este sentido, Cheryl Marie Wade (1995) denomina, irónicamente, "abled-disabled" («discapacitado-capacitado»), al sujeto tipo ideal del MVI, aquel que proclama su derecho a una vida independiente a costa de silenciar su debilidad. La autora explica que, precisamente la principal diferencia entre las personas *capacitadas* y *discapacitadas,* reside en la vergüenza que estas últimas experimentan por precisar ayuda para las tareas íntimas.

En nuestro contexto, más recientemente, también son las mujeres con DF las que están dando la batalla por romper el tabú en torno a la experiencia corporal diversa. Es precisamente en los elementos más vergonzosos y humillantes (como la incontinencia fecal y urinaria) en los que pone el foco el blog *La incontenida. Escatologías de una coja indignada,* de la activista Elena Prous, en que pueden leerse diferentes «apologías» como: «Apología de la incontinencia: Incontinencia por el orificio anterior» y «Apología de la incontinencia. Incontinencia por el orificio posterior». Asimismo, Prous narra, en línea con la propuesta de las autoras mencionadas anteriormente, su experiencia con dolor crónico y medicación en «Apología del dolor. Vivir sedada o vivir doliendo». Por su parte, Itxi Guerra, persona no binaria, en su libro *Lucha contra el capacitismo* (2021), critica el productivismo implícito en muchas de las proclamas del MVI y, también, del feminismo, y reivindica, entre otras cuestiones, el «derecho a la siesta», es decir, a frenar y reconocer y poner en valor las necesidades y ritmos del cuerpo diverso.

Otra de las aportaciones fundamentales de las perspectivas feministas es la problematización de los discursos que defienden un modelo de vida independiente basado en un sujeto racional que decide, que lo único que requiere es una asistencia solícita y robótica. Volviendo a los FDS anglosajones, Barbara Hillyer (1993) critica la exclusión de las personas con DF intelectual o deterioro cognitivo que nunca podrán cumplir con ese ideal de sujeto. Incluso, en el caso de la DF física, en relación con el propio ejercicio de la asistencia personal, este trabajo se articula de forma más compleja que mediante la mera ejecución mecánica de las órdenes del empleador. La ya citada Elena Prous, tras más de diez años como usuaria de asistencia personal, abría la caja de pandora, apuntando las tensiones y dificultades que conlleva la gestión, íntima y cotidiana («piel con piel») de este recurso.

> «Mis manos y mis piernas no se mueven y punto. Las suyas no son las mías. Las suyas no hacen exactamente lo que yo haría, ahora sé que es obvio. La idea esencialista de la asistencia personal llegó a mi vida a modo de abre fácil y ahora se ha llenado de realidad y complejidad, y mi cuerpo lo sabe».[39]

En esta línea de intentar entender cómo se encarna en la práctica diaria la metáfora de «ser las manos», guiamos el análisis del artículo «*¿Ser simplemente sus manos?* La asistencia personal para personas discapacitadas como trabajo corporal» (*"Being just their hands? Personal Assistance for disabled people as body-work"*, García-Santesmases, et al., 2023) basado en entrevistas con APs. El concepto de «trabajo corporal» (Twigg et al., 2011) nos permitió entender que la tarea del AP consiste, precisamente, en saber poner el cuerpo de una determinada manera, de forma que pueda (des)aparecer según sea requerido. Tal y como explica el AP Iñaki Martínez en su blog[40] se trata de saber convertirse «en el hombre invisible». Las definiciones de la asistencia personal como «una herramienta» o como una extensión protésica («los pies y

---

[39] https://laincontenida.wordpress.com/2022/04/23/escatologias-de-la-asistencia-personal-divagaciones-para-sobrevivir-al-recurso-y-argumentos-para-politizarlo%ef%bf%bc/

[40] Blog: «Historias de asistencia desde otro lado, otra mirada» https://elhombrei.blogspot.com/2022/02/invisible.html

las manos») sirven como figuraciones para orientar la práctica profesional pero no pueden obviar que se trata de una relación corporal y emocional en la que el cuerpo del AP emerge, afecta y es (debe ser) afectado (García-Santesmases, et al., 2023).

En conclusión, las perspectivas feministas han sido y son fundamentales para problematizar determinadas asunciones de la filosofía de vida independiente y ampliar y enriquecer las propuestas clásicas del activismo anticapacitista en torno a la autonomía personal, el sujeto de derechos o la asistencia personal.

2.2 La carga del feminismo

> «Cuando salí del hospital, me dirigí con pasos lentos y vacilantes a la parada del autobús que me devolvería a la ciudad. Dejaba atrás ese gran edificio pretendidamente aséptico e impersonal, inquietante en su eficiente distribución de salas y roles. Atardecía y la caída del sol dejaba un paisaje aún más desolado. En la parada ya había varias personas esperando a las que, en seguida, se fueron sumando más. Cuando llegó el autobús, una de ellas no tenía dinero para pagar (o puede que no tuviera euros, este hospital cuenta con muchos pacientes extranjeros de alto poder adquisitivo), rápidamente varias desconocidas la socorrieron, una pagó su billete y pudo subir. Una vez dentro, se pusieron a hablar entre ellas, produciéndose varias conversaciones en paralelo, algunas en castellano, otras en inglés. Compartían

experiencias, dolores y esperanzas, recomendaciones sobre tratamientos y expertos. Hablaban, aun sin conocerse, sabiéndose cómplices. Todas las integrantes del bus éramos mujeres: éramos las madres, las hermanas, las parejas o ex parejas, las amigas... éramos el soporte material y emocional de los pacientes».
(*Diario de campo*, primavera de 2015)

Durante mi trabajo de campo, pude corroborar lo que los feminismos llevan siglos denunciando: la mayor parte del trabajo de cuidados lo realizan las mujeres. Ese autobús, en el que regresé tras visitar a una persona muy querida, desplazaba diariamente a un ejército de cuidadoras formales (sanitarias, limpiadoras, asistentes) e informales (familiares, amigas, parejas) que hacían posible no solo la supervivencia de los pacientes, e idealmente su tratamiento y rehabilitación, sino su vivencia, es decir, dotaban a sus días del afecto y las ganas para intentar su recuperación.

Esta feminización de los cuidados ha sido, históricamente, abordada por los feminismos desde diferentes visiones. Quizá la más popular es la postura que denuncia los cuidados como una carga que soportan las mujeres y que repercute negativamente en sus trayectorias profesionales y en su salud física y psicológica. Desde esta visión, se denuncia el reparto desigual de los cuidados en nuestra sociedad y se intenta medir, por ejemplo, el tiempo que le dedican las mujeres (en contraposición a los hombres) o el impacto económico que tendría su monetarización.

Se aboga por medidas que favorezcan la conciliación y el reparto de la «carga», tales como los permisos iguales e intransferibles por nacimiento o adopción[41] o el aumento de los recursos asistenciales y residenciales para personas dependientes.

En el otro extremo, encontramos un feminismo que defiende los cuidados como algo intrínsecamente humano e, incluso, esencialmente femenino. Los cuidados aquí no refieren solo a la atención directa de las personas en situación de dependencia, sino de forma más amplia al cuidado del entorno y de la vida en general. Se plantea «una ética de los cuidados» que promovería valores de relación más democráticos y horizontales. En este sentido, la apuesta política no sería la de «descargar» a las mujeres (se considera que no se puede asimilar el cuidado al trabajo productivo ya que vincula emociones y experiencias difícilmente monetizables), sino la de poner en valor los cuidados y favorecer que las mujeres, pero no solo ellas, les den un valor central en su vida. El principal riesgo de esta postura es el esencialismo que puede derivarse de concebir la predisposición de las mujeres al cuidado como algo natural e intrínsecamente femenino.

La crítica interseccional ha enriquecido la discusión clásica, enfatizando que no es solo el género la variable que marca un desigual reparto de los cuidados. Los ejes de clase social y origen migratorio

---

[41] Plataforma por Permisos Iguales e Intransferibles de Nacimiento y Adopción [PPIINA]: https://www.ppiina.org/

son fundamentales para mostrar que son las mujeres en posiciones más precarias las que más tiempo dedican a los cuidados y las que, además, los llevan a cabo en peores condiciones, tanto materiales (horarios, salarios) como simbólicas (reconocimiento social). De esta forma, tal y como explican las economistas feministas como Amaya Pérez Orozco (2014), la «crisis de los cuidados»[42] se parchea a través de soluciones privadas e individuales, que consolidan las «cadenas globales de cuidado»[43] y, con ello, el papel de las mujeres como cuidadoras.

Son interesantes, en este sentido, las teorizaciones contemporáneas que explican que el cuidado, y su desigual reparto, no se puede valorar solo a

---

[42] La «crisis de los cuidados» hace referencia al proceso actual de «desestabilización de un modelo previo de reparto de responsabilidades sobre los cuidados y la sostenibilidad de la vida» (Pérez Orozco, 2005: 9-10) basado, principalmente, en que el trabajo doméstico y de cuidados era realizado, de forma no remunerada, por las mujeres dentro del ámbito familiar. Por tanto, «el reparto histórico de los trabajos de cuidados ha estado asociado a las relaciones de poder de género, así, tanto los fenómenos de desequilibrio como de reequilibrio están profundamente marcados por el género». (Pérez Orozco, 2005: 10)

[43] Las «cadenas globales de cuidados», término acuñado originalmente por la socióloga Arlie Hochschild (2001), refiere a la reorganización del trabajo de cuidados a nivel transnacional. Ante la «crisis de los cuidados» se produce un desplazamiento del trabajo y responsabilidad en torno a los cuidados por el que mujeres de países del Sur migran a países del Norte para encargarse del trabajo doméstico y de cuidados (que antes hacían las mujeres de estos países). Asimismo, estas mujeres dejan responsabilidades de cuidado en sus hogares de origen, que pasan a ser asumidas principalmente por otras mujeres de su entorno.

través de las horas que se dedican a la atención directa (lo que se denomina «cuidados directos»), sino que tiene que contemplar los denominados «cuidados indirectos» que incluyen el trabajo doméstico así como:

> «Todo lo referido a la gestión y organización de los trabajos del hogar (*managment familiar*) con fuertes dosis de tensión, y lo referido a las tareas de mediación, con fuertes dosis emocionales (...) Finalmente, hay una dimensión un tanto borrosa que atañe a las distintas actividades, como es la actitud de –estar disponible para–, de –estar atenta/o a–, lo que en el mundo anglosajón denominan estar –*on call*–».
> (Carrasco, et all., 2001:72)

Este enfoque permite revelar que, incluso, las supuestamente más «liberadas» (las mujeres de clase media-alta) que pueden subcontratar, y/o repartir de manera más igualitaria con sus parejas, el trabajo de cuidados, igualmente dedican una parte sustancial de su tiempo y energía al mismo ya que se encargan de organizarlo, supervisarlo y estar disponibles por si ocurre cualquier eventualidad.

En síntesis, los feminismos tienen un consenso, al menos, en torno a que los cuidados se encuentran feminizados, precarizados, racializados y devaluados, y que esto es problemático. No obstante, pensar que los cuidados son un asunto feminista solo porque las mujeres son las principales proveedoras de cuidados, niega una realidad tangible: las mujeres también son las principales receptoras de cuidados o, más bien, las que más los precisan.

Las mujeres llegan a edades más avanzadas con peor estado de salud –y, por tanto, a nivel cuantitativo hay más mujeres que hombres en situación de dependencia– y dicha condición física es, mucha veces, consecuencia del trabajo de cuidados realizado durante años. Tal y como explica el libro *Cuidadoras. Historias de trabajadoras del hogar, del servicio de atención domiciliaria y de residencias* (Cañada, 2021), las jornadas maratonianas, la falta de apoyos y reconocimiento, el desgaste físico, la escasez de tiempo para una misma y para el ocio, y un largo etc. de renuncias y esfuerzos genera que las cuidadoras sean uno de los colectivos con peor estado de salud física y emocional. Y, en consecuencia, grupo diana de la sobre medicación. De hecho, las mujeres de mediana edad son las principales consumidoras de ansiolíticos y antidepresivos en los países occidentales. Es decir, hay un ejército de cuidadoras anestesiadas para seguir soportando, silenciosamente, un trabajo constante e interminable. Y ellas también precisan cuidados.

Paradójicamente, los feminismos siguen conceptualizando a la persona dependiente como lo «otro», tendiendo a silenciar, o directamente ignorar, su agencia y subjetividad. Tanto si es considerada como una «carga» como si es concebida como motivo de afecto e inspiración, es posicionada como un objeto sin capacidad de decisión. De esta forma, se homogeneiza a las personas que precisan de cuidados diarios, más aún si son adultas. Mientras que en relación con los menores cada vez se hace un esfuerzo mayor por respetar su decisión y se critica el «adultocentrismo», con los adultos en situación de dependencia se defienden, aun desde posturas supuestamente feministas, propuestas y recursos capacitistas, excluyentes y denigrantes, como pueden ser las grandes residencias.

De esta forma, continúa siendo habitual que cuando se habla de cuidados desde una perspectiva feminista se aluda exclusivamente a la mujer que cuida, en lugar de enfatizar que lo problemático reside en la forma en que se organizan esos cuidados. Por ejemplo, en el citado libro, *Cuidadoras* (Cañada, 2021), recientemente publicado, se analiza teórica y empíricamente la experiencia de mujeres migrantes que cuidan profesionalmente, tanto en grandes residencias como en el servicio de ayuda a domicilio o en pisos particulares como internas. El libro desmenuza las múltiples violencias e injusticias a las que son sometidas y presenta sus testimonios en primera persona. Leyendo, simplemente, la frase que da título a cada una de las historias se puede entrever la dureza del trabajo que realizan y sus consecuencias psico-emocionales. He aquí algunas:

o   Vanesa: *yo no quería trabajar más de interna, porque es tan horrible estar encerrada, sin poder salir.*

- o Cristina: *hay veces que me angustia mucho estar encerrada. Me deprimo, me da mucha tristeza.*
- o Lía: *Te levantas y solos ves las mismas caras, te acuestas y las mismas caras.*

Sin embargo, el libro en ningún momento se pregunta por la vivencia de las personas que estas mujeres cuidan y que, seguramente, en la mayoría de los casos son también mujeres. Y es fácil imaginar que la persona que cuida Vanesa también está encerrada, no puede salir y eso le parece terrible; que la persona con la que convive Cristina siente angustia y tristeza por este encierro; y aquella para la que trabaja Lía ve, día tras día, las mismas caras. Por tanto, debería preocupar no solo la experiencia individual de Vanesa, Cristina y Lía, o la colectiva de las mujeres cuidadoras migrantes, sino las relaciones de cuidado producto del contexto patriarcal, capacitista y neoliberal que deja a las cuidadoras y cuidadas, literalmente, enclaustradas. Las variables que conducen a la reclusión varían, así como los ejes de desigualdad que las producen, pero el encierro es compartido.

Por ello, es necesario crear espacios de diálogo y encuentro[44] en que se piense, de manera realmente

---

[44] Así lo hicieron en libros como *Cojos y precarias haciendo vidas que importan* (2011) o *Deconstruyendo la dependencia: propuestas para una vida independiente* (2012). Asimismo, en el Fórum Social de Cuidados (Barcelona, marzo de 2022) se pusieron en diálogo las voces de las personas que suelen proveer de cuidados y de aquellas que los precisan diariamente.

interseccional, cómo organizar de una forma más justa y vivible los cuidados. Es necesario que en estos espacios estén presentes las diferentes voces implicadas en las relaciones de cuidado, tanto las de quienes los proveen como las de quienes los precisan, sabiendo que dichas posiciones no son ni fijas ni esenciales.

2.3 #DisabledLivesMatter (LasVidasDiscapacitadasImportan)

> «Le voy a responder como si fuera una persona como todas las demás».

Esta frase, dirigida por García-Gallardo, político del partido ultraderechista VOX y vicepresidente de Castilla y León, a Noelia Frutos, diputada del PSOE, fue *trending topic* en redes sociales. La política, que tiene DF física, mostró rápidamente su indignación en redes sociales y recibió un apoyo unánime por parte del espectro progresista. Fue la confirmación definitiva para la izquierda española de que VOX no es solo la más agreste representación del machismo y del racismo, sino también del capacitismo. No obstante, el político ultraderechista no se amedrentó con las críticas y afirmó que a la izquierda «le interesan los discapacitados que han nacido, pero no los que no han nacido». Y fue más allá denunciando las «leyes de la muerte, leyes de eutanasia y leyes del aborto que invitan a los padres a abortar, a triturar en el vientre de las madres a los niños a los que se les detecta tempranamente la discapacidad»[45].

Estas declaraciones hacen hervir la sangre del feminismo que se atrinchera en una defensa férrea del derecho a la interrupción voluntaria del embarazo o a la muerte digna, que no admite matices ni titubeos. Sin embargo, por repugnante que sea el marco que VOX utiliza para plantear estos debates, no se puede continuar negando que tanto esta formación como en general el espectro conservador apuntan a una cuestión espinosa: la concepción de ciertas vidas que subyace a la defensa progresista de determinadas políticas públicas. Tal y como lleva décadas denunciando el activismo anticapacitista, ciertas reivindicaciones y prácticas, como los abortos selectivos (por razón de *discapacidad* o enfermedad) o la eutanasia, tienen un trasfondo eugenésico. Susan Wendell explica:

> «las "elecciones" y "opciones" individuales (como abortar, morir o elegir un tratamiento) pueden convertirse rápidamente en imperativos sociales, especialmente cuando se combinan con prejuicios sociales tan poderosos como el miedo a la discapacidad». (1996:151)[46]

---

[45] https://www.publico.es/politica/vicepresidente-castilla-leon-vox-diputada-discapacidad-le-contestar-fuera-persona-normal.html
[46] "individual 'choices' and 'options' (such as those to abort, to die or to choose a treatment) can quicky become social imperatives, especially when combined with such powerful social prejudices as fear of disability".

En nuestro contexto, el Modelo de la Diversidad y sus teóricos (Javier Romañach, Soledad Arnau o Antonio Centeno, por citar los más prolíficos en estas cuestiones) han dado especial relevancia, no por casualidad, a las cuestiones bioéticas. En relación con el aborto por malformación fetal, suelen plantear la comparación, tan incómoda como sugerente, con otro tipo de aborto selectivo: el que ocurre por razón de sexo en países en que la vida de las mujeres «vale menos» que la de los hombres (o, en cualquier caso, esa proyección es la que conduce a interrumpir el embarazo). De la misma forma, plantean (ver Romañach 2009 o Arnau 2019) que los abortos cuando se detecta malformación fetal u otro tipo de dolencia se basan en la proyección del tipo de corporalidad y/o funcionalidad que desarrollará el feto, la cual se cataloga de indeseable y menos valiosa. Asimismo, se perpetua la «tesis de la tragedia personal»: la asunción de que la *discapacidad* genera necesariamente una vida de sufrimiento, tanto para la persona en cuestión como para su entorno.

En Islandia, tal y como muestra el documental *Iceland's Down syndrome dilemma* (*El dilema del síndrome de Down en Islandia*), desde los años 2000, la sanidad pública promueve que todas las mujeres embarazadas se realicen un diagnóstico genético prenatal. La gran mayoría acepta. Se plantea como una simple fuente de información para que «la mujer elija». Sin embargo, esta «libre elección» se traduce en que en el 100% de los casos en que se diagnostica síndrome de

Down, se aborta el feto. Las mujeres entrevistadas explican que nadie las coacciona para ello, aunque sí les explican «que es lo normal, lo que todo el mundo hace». Por tanto, los escasísimos nacimientos de bebés con estas características se consideran o bien un error médico (el documental explica que los diagnósticos no son aún 100% fiables) o bien un error materno (en los casos en que las madres no han querido someterse al diagnóstico prenatal). ¿Es esta una política progresista? ¿Es una sociedad menos diversa más feminista?

Asimismo, las pocas personas con síndrome de Down que aún quedan en el país reciben un mensaje contundente. Beatriz Gimeno (2007), en su texto *La discapacidad es una experiencia desde el margen,* explica:

> «limitar el aborto y permitirlo en caso de que el feto tenga alguna "malformación" es toda una declaración ideológica y de principios sobre el valor que el Estado, la sociedad, otorga a las personas que tengan una "deficiencia"».

La reflexión bioética «desde el otro lado del espejo», como denominaba Javier Romañach (2009) a la perspectiva desde la experiencia de la diversidad funcional, permite ampliar el foco y cuestionar las dinámicas sociales que subyacen a las decisiones individuales. La pregunta no es qué debe hacer una mujer cuando recibe la terrible sentencia de que «el embarazo no va bien» sino qué tipo de sociedad tenemos, qué sociedad queremos y qué vidas son posibles en ella. Resulta más rentable plantear como una decisión individual, personal e íntima, estos abortos y, por tanto, privatizar el dolor y la dificultad que puedan conllevar. De esta forma, la decisión de seguir con un embarazo sería individual y, también lo sería la responsabilidad de asumir la carga extra de cuidados y dificultades que conllevaría ese nacimiento.

Hoy en día, la legislación española (*Ley de Salud Sexual y Reproductiva y de la interrupción voluntaria del embarazo*, más conocida como Ley del aborto) ha superado la idea de los supuestos, y plantea que, hasta la semana 14 de gestación, cualquier mujer mayor de edad puede interrumpir voluntariamente su embarazo. No obstante, este plazo se extiende hasta la semana 22 en los casos en que se detecten anomalías fetales incompatibles con la vida o bien una enfermedad «extremadamente grave o incurable». Y se recurre, de nuevo, la «tesis de la tragedia personal» para justificar esta extensión: hay determinadas condiciones vitales que indefectiblemente conllevan dolor y sufrimiento, en definitiva, hay vidas que no merecen la pena ser vividas. Y, como diría Judith Butler (2010), tampoco merecen ser lloradas. En esta línea, el activista del FVID, Antonio Centeno, criticaba duramente el artículo «Nadie tiene derecho a obligar al sufrimiento» (*El País*, 24-07-2012):

> «Después de un párrafo entero invistiéndose de autoridad científica, el autor deja ir una

buena ristra de "terroríficas" afirmaciones y algunas inexactitudes. Especialmente significativo para mí es el parágrafo donde describe una de las situaciones de "sufrimiento más allá de lo inimaginable" en términos de "parálisis de ambas piernas. En los casos más graves, que desgraciadamente podrían ser la mayoría si la ley se modificase, el grado de parálisis será completo. Atrofia en estos casos de los músculos de los dos miembros inferiores con grandes deformaciones en los pies, piernas y también en la espalda, con desviaciones muy graves de la columna vertebral. Incontinencia completa de orina y de heces. Impotencia sexual completa". Un servidor, que es feliz como una lombriz, responde casi al milímetro a esa situación».

Tal y como explica Centeno, cuando se habla de la viabilidad del feto, en demasiadas ocasiones, lo que se está haciendo es proyectar la (in)deseabilidad de una vida, de una condición corporal y/o intelectual que, de facto, es la forma de estar en el mundo de muchas personas. No se trata de cuestionar la decisión individual de las mujeres que deciden abortar por esta causa (ni por ninguna otra), sino determinados discursos que, de manera cortoplacista y estratégica, postergan la defensa del aborto libre y se agarran a supuestos capacitistas.

En el otro extremo, plantear la discusión del «aborto por malformación fetal» como una cuestión bioética independiente de la discusión más amplia sobre la interrupción voluntaria del embarazo, resulta una estrategia tramposa y contraproducente, que permite a los grupos conservadores hacer lo que acertadamente Melania Moscoso denomina *Cripwashing*: «la capitalización de los discursos del movimiento pro-discapacidad para limitar los derechos reproductivos de las mujeres»[47]. En consecuencia, el activismo de vida independiente debe evitar los atajos, como limitarse a reclamar que se cumplan las indicaciones de la Convención de Derechos de las Personas con Discapacidad, y apoyar decididamente el derecho al aborto libre.

La discusión sobre la interrupción del embarazo está sumergida en las proyecciones ya no solo de qué vidas merecen la pena sino de qué maternidades son esperables y deseables. Pensar conjuntamente desde el feminismo y el anticapacitismo es la única vía para incluir a las mujeres con diversidad funcional cuyos derechos sexuales y reproductivos son continuamente violentados. En este sentido, la campaña *FreeBritney* (liberad a Britney Spears)[48] ha abierto los ojos sobre la

---

[47] Artículo «No en mi nombre» publicado por *Píkara:*
http://www.pikaramagazine.com/2014/01/no-en-mi-nombre/
El término *Cripwashing* (literalmente «lavado tullido») hace un guiño al *pinkwashing* («lavado rosa») que refiere la apropiación del discurso pro LGTB por parte de los conservadores con el objetivo de encubrir discursos nacionalistas, racista o islamófobos. Para un análisis más en profundidad sobre qué es y cómo se produce el *cripwashing*, consultar: "Cripwashing: the abortion debates at the crossroads of gender and disability in the Spanish media" (Moscoso y Platero, 2017).
[48] https://www.freebritney.net/

situación en que se encuentran las mujeres incapaci-
tadas jurídicamente. La que fue icono musical adolescente, Britney Spears, se ha pasado años sin poder
ejercer sus derechos sexuales y reproductivos debido a
que su padre logró su incapacitación jurídica. Él se
volvió su tutor legal y, en consecuencia, podía tomar
decisiones sobre la vida de Britney tales como obligarla
a utilizar un DIU para no quedarse embarazada.

Imagen de la campaña #FreeBritney

Britney es solo un ejemplo, mediático y *fashion*, de
una realidad dramática. Hay muchas mujeres a las
que, en lugar de ponérsele trabas para interrumpir su
embarazo, dicha interrupción se les prescribe, muchas veces sin que la mujer consienta, o si quiera
entienda, lo que está ocurriendo. Las esterilizaciones
forzosas, que continúan siendo una práctica habitual
en la mayoría de los países, no se prohibieron for-

malmente en España hasta diciembre de 2020[49]. Asimismo, continúan produciéndose prácticas que persiguen el mismo fin, como la administración de anticonceptivos sin consentimiento o el aborto coercitivo, tal como denuncia la organización CERMI[50]. La lucha, por tanto, debe ir encaminada hacia unos derechos reproductivos amplios y hacia un cambio de mirada y de organización social de los cuidados que permita, al menos imaginar, maternidades diversas. Para ello, la conversación entre feminismo y anticapacitismo es imprescindible.

Una lógica similar debería aplicarse en relación con la eutanasia. Defender la libertad individual en la decisión sobre el final de la vida no debería requerir de la representación trágica, escabrosa y totalizadora de dicha experiencia como la única posible. Películas como *Mar adentro* (2004), *Million Dollar Baby* (2004) o *Whose Life Is It Anyway* (1981) muestran, de manera romantizada[51], la eutanasia como la opción esperable,

---

[49] «Un año sin esterilizaciones forzosas a mujeres con discapacidad en España: la atrocidad que se prohibió 12 años tarde». https://cermi.es/noticia/un-ano-sin-esterilizaciones-forzosas-a-mujeres-con-discapacidad-en-espana-la-atrocidad-que-se-prohibio-12-anos-tarde

[50] *Derechos Humanos de las mujeres y niñas con discapacidad*. Informe España, 2022. Fundación CERMI Mujeres. Editorial Cinca.

[51] La romantización de la muerte es especialmente significativa en *Mar adentro*, en que el final de la vida se representa como la recuperación del cuerpo joven y *capacitado*: el protagonista vuelve a encarnar su yo pasado, fuerte y vigoroso, y salta al mar, máxima representación de la libertad individual y la autonomía física.

incluso deseable, para ciertas condiciones vitales. Esta narrativa se actualiza frecuentemente, tal y como denunció el activismo anticapacitista, a partir del estreno en 2016 de la ya analizada en el capítulo anterior *Me Before You* (*Yo antes de ti*), mediante campañas en redes sociales: (#MeBeforeAbleism, Not DeadYet y #MeBeforeEuthanasia). La visión hegemónica en los medios de izquierdas, el consenso laico, y supuestamente progresista, proyecta la idea de «preferiría morir que vivir *así*» sin pararse a pensar en que ese *así* está determinado por las condiciones materiales de accesibilidad, asistencia sanitaria, provisión de cuidados y un largo etc.

En este sentido, resulta útil pensar cómo no se consideran igual de (in)vivibles determinadas condiciones corporales en función de la persona que las encarna. Por ejemplo, difícilmente se hubiera alentado a Stephen Hawking a que pidiera la eutanasia. A pesar de que precisaba apoyos diarios para cubrir todas sus necesidades y de que tenía una enfermedad degenerativa e incurable, su extraordinaria *capacidad* intelectual le hacían valioso para la sociedad. Asimismo, nadie se lo planteó a Franklin D. Roosevelt, presidente de EE. UU., que contrajo polio en la edad adulta y pasó a precisar de una silla de ruedas. Por tanto, la idea de prescindencia que subyace en demasiadas ocasiones a la defensa de la eutanasia se cruza con otras variables como la clase social[52]. Cuando se plantea la discusión en torno al final de la vida como una cuestión de libertad individual, se obvia la responsabilidad social que configura determinadas vivencias como (in)soportables.

La pandemia de la COVID-19 ha puesto, aun más de manifiesto, el impacto de los discursos capacitistas en la gestión biopolítica de la atención sanitaria y la organización de los cuidados. Durante el confinamiento más duro, cuando no podíamos salir de casa, junto a un par de compañeras de activismo y reflexión anticapacitista, comenzamos a pensar conjuntamente sobre el imaginario que proyectaba la pandemia. Y nos dimos cuenta de que no se trataba simplemente de analizar la (im)pertinencia de las medidas sanitarias y restricciones, sino que el principal peligro residía en cómo estábamos, en aquella primavera de 2020, nosotras mismas, interiorizando y encarnando dichos discursos:

> «El descenso de la curva nos dejará imágenes espeluznantes como la de ataúdes hacinados en el Palacio de Hielo, pero también la cicatriz imborrable, quizá por su invisibilidad, de los discursos capacitistas e ideas eugenésicas enunciados al amparo de la lógica de la excepcio-

---

[52] En esta línea, es recomendable leer el artículo de Javier Romañach: «Los errores sutiles del caso Ramón Sampedro» (2004), en el que analiza el retrato mediático que se hizo de esta petición de eutanasia, representándola como un deseo meramente individual y obviando todos los factores sociales implicados.

nalidad. Estamos librando una batalla, sí, pero no es contra un enemigo abstracto e incorpóreo, sino contra su gestión biopolítica que marca las vidas "que merecen la pena ser vividas".

Y no nos referimos solo a la gestión estatal y a las medidas de salud pública, sino a su infiltración en las ideas y emociones de cada una de nosotras. Si el Covid-19 tiene que servir para algo –todo tiene que hacerlo bajo la fiebre productivista del neoliberalismo– que sea para dejar escrito en nuestro cuerpo que la revolución anticapacitista será radical o no será». («Si no merecemos vivir ahora, ¿cómo vamos a vivir después?», *El Salto*, García-Santesmases, Sanmiquel y Prous. 28-04-2020).

En conclusión, los discursos, argumentos y tesis que se aducen para defender los derechos no son inocuos, sino que crean y perpetúan modelos de comprensión de la realidad y de determinadas vidas. Como denuncia Gimeno (2007): «La izquierda ha aceptado sin cuestionarlo el modelo negativo de la discapacidad como tragedia personal y como déficit». En este sentido, no se puede permitir que la derecha sea la única que escucha y recoja el sufrimiento de las personas con diversidad funcional y sus familias. Como reclamó Adolf Ratzka, pionero del MVI europeo, durante la pandemia de la Covid-19: «ayúdennos a vivir antes que a morir»[53]. Para defender la muerte digna, hay que asegurar que sea una elección que parte de unas condiciones vitales dignas.

Conclusiones

Las mujeres y las personas con DF han sido históricamente, y continúan siendo, esencializadas en torno a los cuidados: las primeras como cuidadoras naturales, las segundas como cuidadas perpetuas. No es de extrañar, en consecuencia, que para ambos colectivos los cuidados sean uno de los principales campos de batalla, pero sí resulta inquietante que, en demasiadas ocasiones, generen trincheras identitarias enfrentadas. Somos vulnerables e interdependientes, precisamos de las otras, aun cuando en según qué circunstancias esto no sea explícito u oficialmente reconocido.

Por tanto, el problema no son los cuidados en sí, sino la forma en que se organizan. Y tanto la perspectiva feminista como la anticapacitista son indispensables para lograr una articulación más equitativa y un marco discursivo común que no pase por marcar determinadas condiciones como «vidas que no merecen la pena ser vividas». Hay que arrebatar la hegemonía al discurso conservador porque lo que es

---

[53] https://www.independentliving.org/docs7/Adolf-Ratzka-Help-live-before-help-die.html

incompatible con la vida es este sistema patriarcal, capitalista y capacitista.

3: HERIDAS Y SILENCIOS
(LA VIOLENCIA)

«Mason fue acusada de "fracturar la muñeca del profesor golpeándola contra su silla de ruedas; humillarlo dejándole que se orinara encima; cortarle la mejilla con una cuchilla; dejarle resbalar bajo el agua mientras estaba en la bañera; hacer que el agua entrara en la zona de la traqueotomía de su garganta; abandonarle en su jardín en el día más caluroso del año durante tanto tiempo que sufrió un golpe de calor y quemaduras solares graves"»[54].

Un hombre blanco cis hetero exitoso y rico es la imagen del poder. El MeToo ha puesto esta posición en el punto de mira, denunciando cómo algunos de estos hombres la utilizan para agredir sistemáticamente a las mujeres. Sin embargo, uno de los hombres blanco cis hetero más famoso del mundo fue agredido durante años, presuntamente, por Elaine Mason, su esposa. En varias ocasiones fue ingresado en el hospital porque su cuerpo presentaba marcas de violencia física (heridas, cortes, quema-

---

[54] https://heavy.com/news/2018/03/stephen-hawking-abused-wife-elaine-mason/

duras) y su entorno afirma que lo peor no era eso, sino la violencia verbal y el control al que estaba sometido: su pareja supervisaba y limitaba sus interacciones sociales e, incluso, su relación con sus hijos (fruto de un matrimonio previo). Este hombre «privilegiado» no podía moverse ni comunicarse de manera normativa, precisaba de apoyos humanos y tecnológicos para todo ello. Este hombre era Stephen Hawking.

El conocido científico nunca denunció a su pareja y negó públicamente haber sido maltratado. Su entorno (enfermeras que convivían con él y sus hijos) asegura que lo hizo por temor y vergüenza pero que las agresiones se produjeron de manera recurrente durante años. Stephen Hawking falleció sin que se esclarecieran los hechos. La historia del maltrato que presuntamente sufrió tensiona la forma habitual de pensar la violencia dentro de las relaciones heterosexuales: la *discapacidad* desencaja las relaciones de poder configuradas por el sistema patriarcal, en que la mujer es la potencial víctima y el varón el potencial victimario. En este caso, el cuerpo de Stephen, pasivo y dependiente, resulta un cuerpo susceptible de ser violentado. Se trata, tal y como se analizó en el capítulo de género (Cap.1 *Las ruedas del patriarcado*) de un cuerpo feminizado.

No obstante, esta inversión de las posiciones de víctima y victimario, en el cruce entre el género y la diversidad funcional, no es automática ni constante. De hecho, Elaine Mason no solo negó haber maltratado a Stephen Hawking, sino que, una vez divorciados, afirmó haber sido ella la víctima de una violencia más sutil: la que conlleva vivir durante décadas a la sombra del genio: «durante años me sentí nada, nadie», «él necesitaba ser siempre el centro de atención», «yo era su esclava», declaró[55]. Su historia pone de manifiesto que, en la producción y subjetivación de la violencia, la categoría *dis/capacidad* se entrecruza de manera compleja y fluctuante con el género.

No se pueden entender las agresiones como fenómenos aislados o dramas individuales, sino como evidencias palpables de una violencia más amplia, de naturaleza estructural. Las violencias se producen imbuidas en sistemas de dominación que las dotan de sentido, significado y legitimidad. Por ello, para analizar la violencia en el cruce entre la diversidad funcional y el género, resulta imprescindible identificar y analizar los sistemas de dominación en que están inmersas y cómo se coproducen. Este capítulo aborda esta encomienda a partir de las siguientes preguntas: ¿cómo se produce, escenifica y subjetiva la violencia capacitista? ¿Cómo interseccionan capacitismo y patriarcado en dicho proceso? ¿Son los varones con DF víctimas o victimarios en este entramado?

---

[55] https://www.dailymail.co.uk/news/article-8698199/Stephen-Hawkings-second-wife-Elaine-raged-guests-slave.html

3.1 Capacitismo y discapacitismo

3.1.1 *«Una vida que no es nuestra»*

> «Miradas absortas, oídos atentos capaces de captar hasta el más pequeño de los detalles, pensamientos profundos sobre una vida que no es nuestra, silencio sepulcral. Tan solo una voz que habla. El mejor momento de su vida y, entonces, de manera repentina e inesperada, el accidente. Después del hospital, la noticia que le cambiará la vida, la desesperación, la impotencia... las ganas de dejar de existir. (...) Sinceramente, nos ha conmovido».[56]

Esta es la carta que escribió una adolescente tras recibir, en su instituto, la visita de un voluntario del programa Game Over («el juego ha terminado»), promovido por el Instituto Guttmman, hospital de referencia en el tratamiento de lesiones medulares y neurológicas. Dicho programa busca, a través de testimonios de personas que sufrieron un accidente de tráfico, sensibilizar a los jóvenes sobre los riesgos de la conducción temeraria. Para ello, personas en sillas de ruedas van a los institutos, o a los puntos de la carretera donde los accidentes son más frecuentes, y explican su «terrible» experiencia. Su testimonio es escuchado con atención («miradas absortas», «oídos atentos», «silencio sepulcral»), emoción («pensamien-

---

[56] https://siidon.guttmann.com/files/sr81_gameover.pdf

tos profundos sobre una vida que no es nuestra», «nos ha conmovido») y distancia («una vida que no es nuestra»): el cuerpo *discapacitado* se posiciona como la encarnación indeseable, una forma de habitar el mundo que genera dolor y sufrimiento («desesperación», «impotencia», «ganas de dejar de existir» son las ideas que se han quedado grabadas en el recuerdo de la joven que escuchó la charla) y que debe evitarse. El objetivo final de la campaña es que los jóvenes no se conviertan en *eso* (*discapacitados*), porque *eso* (la *discapacidad*) es terrible.

Los testimonios ejemplificantes no son exclusivos del ámbito de los accidentes que devienen en lesiones permanentes, sino que, por ejemplo, son habituales en relación con el consumo de drogas o la experiencia de la enfermedad en que se explican los «errores» (drogarse; tomar el sol sin protección), el problema (la adicción; el diagnóstico de melanoma cancerígeno), las «luchas» (desintoxicarse; recibir quimioterapia) y la superación (desintoxicación, remisión de la enfermedad). Sin embargo, en el caso de campañas como Game Over no se está previniendo contra una condición o experiencia que puede superarse, sino sobre una condición vital. El testimonio en primera persona no explica cómo se supera una experiencia traumática sino cómo se encarna dicha experiencia. En este sentido, cuando otra de las cartas adolescentes finaliza diciendo «espero, dentro de unos años, poder contribuir como médica a esta lucha»[57], ¿a qué lucha se refiere? No es a la lucha contra los accidentes de tráfico (esa no es labor de la medicina), sino sobre las consecuencias que estos generan: la existencia de cuerpos *discapacitados*.

En síntesis, este tipo de campañas no conciencian sobre las barreras discapacitantes (contra las cuales sería más útil estudiar Sociología o Arquitectura) sino que reifican la lectura médico-rehabilitadora de la *discapacidad* como una tragedia personal. El capacitismo proyecta la *capacidad* como la condición neutra, esperable y definitoria de la especie humana, mientras que posiciona la *discapacidad* como la otredad. Fiona Campbell, pensadora de referencia en este campo, define el capacitismo como:

> «Una red de creencias, procesos y prácticas que producen un tipo particular de yo y de cuerpo (el estándar corpóreo) que se proyecta como el perfecto, el típico de la especie y, por tanto, esencial y plenamente humano. La discapacidad, entonces, se presenta como un estado disminuido del ser humano»[58]. (Campbell, 2001: 44)

---

[57] https://siidon.guttmann.com/files/sr81_gameover.pdf
[58] "A network of beliefs, processes and practices that produces a particular kind of self and body (the corporeal standard) that is projected as the perfect, species-typical and therefore essential and fully human. Disability then is cast as a diminished state of being human".

Una de las expresiones del capacitismo es que la conceptualización de la *discapacidad*, y en consecuencia de las personas que la encarnan, suele transitar entre la heroización y la tragedia. En ambos casos, el primero por exceso («son héroes», «son superpersonas»[59], «son superhumans»[60]) y el segundo por deceso (la infrahumanidad: «son vegetales», «son una carga»[61], «son como muebles»), la *discapacidad* se posiciona como la otredad, aquello para lo que no rigen los mismos parámetros y valores que para el resto de los seres humanos. La categoría de infrahumanidad es amplia, incluye figuras como la del villano que debe morir –ya que desde las películas de Disney se asocia la anomalía física, mental o comportamental a la maldad y la perversidad– y la del bufón –la diferencia funcional como fuente de entretenimiento y escarnio, desde los chistes sobre cojos a la vigencia de los espectáculos con «enanos bombero-torero»–[62]. Estos arquetipos son definidos y promovidos por la mirada *capacitada*, aquella que convierte la *discapacidad* en «porno inspi-

---

[59] https://www.infocop.es/view_article.asp?id=4872
[60] "We're The Superhumans", campaña de los Juegos Paraolímpicos de Río, 2016: https://www.youtube.com/watch?v=IocLkk3aYlk
[61] Ver: Ryan (2020): *Tullidos: austeridad y demonización de las personas discapacitada*).
[62] Estos espectáculos están en proceso de extinción gracias a la reciente aprobación del Proyecto de Ley que incorpora en la Ley General de Discapacidad la siguiente disposición: «quedan prohibidos los espectáculos o actividades recreativas en que se use a personas con discapacidad o esta circunstancia para suscitar la burla, la mofa o la irrisión del público de modo contrario al respeto debido a la dignidad humana».

rador», es decir, motivación y enseñanza: la tragedia conmueve, el heroísmo alienta, la ridiculización divierte y la villanía asusta.

La única
discapacidad
en la vida
es una
mala actitud

Cartel con frase motivacional.

No tener referentes cotidianos y accesibles que hagan de la DF una realidad cotidiana[63] es una forma de violencia simbólica que tiene su correspondencia en el plano material: en la situación de desigualdad de las personas con DF en relación con, por ejemplo, las

---

[63] Sobre la falta de referentes cotidianos es interesante la campaña *WeThe15*, promovida precisamente por el Comité Paraolímpico, que busca criticar que las únicas representaciones de la diversidad funcional sean «heroicas» e «inspiradoras»:
https://www.sopitas.com/deportes/que-es-wethe15-campana-comite-paralimpico-para-personas-con-discapacidad/

tasas de abandono escolar, desempleo o pobreza, todas ellas muy superiores a las de la población *capacitada* (ver los datos que recoge la Estrategia Española sobre Discapacidad 2022-2030). En el caso de los menores con DF la situación es especialmente dramática ya que su inclusión en el sistema educativo suele requerir de esfuerzos titánicos por parte de sus familias, que tienen que poner tiempo, recursos e, incluso, iniciar procesos legales[64] para lograr algo tan básico como que puedan acceder y permanecer en el aula.

La película *Hiden Figures*, basada en hechos reales, cuenta la historia de tres programadoras afroamericanas que, en los años 60, contribuyeron decisivamente a lograr el primer viaje espacial. Varias escenas de la película muestran cómo la protagonista, cada vez que quiere ir al servicio, tiene que salir corriendo, abandonar su edificio y buscar aquel en que está el baño para «mujeres de color» ya que tiene prohibida la entrada al baño de mujeres blancas. La escena tiene un tono cómico propiciado por una mirada actual que nos dice que *evidentemente* es absurdo que no pueda ir al baño de su centro de trabajo. Asimismo, otras prácticas de segregación racial como los asientos diferenciados en el transporte, que dieron origen a la famosa acción

---

[64] Solcom, orientada a dar asistencia legal con la que hacer efectivos los derechos de las personas discriminadas por su diversidad funcional, es una de las organizaciones de referencia en la defensa de la educación inclusiva. Más información en: https://asociacionsolcom.org/

de Rosa Parks cuando se negó a ceder el asiento a un blanco, son hoy en día concebidas no solo como intolerables, sino directamente «sinsentido».

Sin embargo, este sentido común no se ha ganado en el terreno de la diversidad funcional. El capacitismo como sistema de diferenciación y jerarquización social lleva aparejado el discapacitismo: la discriminación contra las personas con DF. La falta de baños adaptados en el entorno laboral o de lugares accesibles en el transporte se considera un problema menor, una simple cuestión de falta de recursos o, en términos teóricos, de discriminación *discapacitista*. Sin embargo, lo que evidencian estos ejemplos es una dinámica capacitista más profunda: qué cuerpos, qué funcionamientos y qué personas son esperadas y bienvenidas en según qué espacios y contextos.

Los conceptos de capacitismo y discapacitismo permiten hacer analogías con otros sistemas de diferenciación y jerarquización social. En relación con el género: el capacitismo sería análogo al patriarcado (en tanto que sistema que construye y reifica relaciones de poder) mientras que el discapacitismo sería el equivalente al machismo (como formas concretas de discriminación). En consecuencia, puede observarse que la manera en que capacitismo y discapacitismo anquilosan a las personas con DF en el lugar de la otredad es similar a la manera en que actúan otros sistemas discriminatorios. Así lo muestra de forma brillante e irónica el fanzine *Huesos Secos, sobre enanos y corporalidades disidentes* (2018):

«Como les ocurre a las mujeres, nos miran, nos increpan, nos paran, nos hablan, opinan sobre nuestros cuerpos (…) Como las personas racializadas, txdxs lxs enanxs somo iguales y por eso es inevitable que nos confundan constantemente. De hecho, deberíamos llevar cartelitos con nuestros nombres para evitarles esos malos ratos a las pobres personas normales. Como ellxs, somos una categoría subhumana. (…) Como algunxs piensan del colectivo LGTBQ todxs los enanxs nos conocemos y además de manera similar a las personas trans subyace una curiosidad morbosa por nuestros cuerpos» (p.17).

En síntesis, el sistema capacitista de diferenciación y jerarquización, al igual que sistemas análogos como el racismo, es, en su propia ontología, un sistema violento. Para desactivarlo, el primer paso es desnaturalizarlo y entender que la *dis/capacidad* es, al igual que otras categorías sociales, una cuestión política.

3.1.2 Infra-humanos

«Yo no era más que una cosa, un objeto que podía usar como y cuando le apeteciera».
(Martin, *Ghost boy,* p.152)

Martin Pistorius explica en su autobiografía *Cuando era invisible* (*Ghost Boy* en su título original) que pasó «12 años atrapado por su cuerpo inmóvil». Debido a una rara enfermedad su cuerpo quedó paralizado en la infancia y «sus facultades intelectuales eran las de un bebé». Martin pasó esos años aislado del mundo, sin comunicarse con el exterior hasta que, en contra de todo pronóstico, fue recuperando las funciones cognitivas. Pasaron años hasta que su entorno se dio cuenta de que Martin entendía lo que ocurría y pudo volver a comunicarse con otras personas gracias a la ayuda de diferentes soportes tecnológicos. Lo más interesante y estremecedor de su biografía son los años que pasa consciente pero incomunicado, testigo mudo de cómo se trata a las personas a las que se considera inertes.

> «en otros lugares, donde los niños y los adultos son demasiado débiles, no podían hablar o carecían de capacidad mental para contar sus secretos, pasaban cosas parecidas. Descubrí que las personas que nos someten a sus deseos más oscuros, por fugazmente que lo hicieron, no eran siempre las más fáciles de detectar. No son ogros, son personas normales, olvidables. Quizá incluso sean personas intachables hasta que la oportunidad de utilizar un receptor aparentemente vacío les anima a cruzar una línea que, de otro modo, jamás se habrían atrevido a superar».

Su testimonio da cuenta de las terribles agresiones sufridas, de manera especialmente cruel y sistemática, a manos de una de las cuidadoras de la institución en la que reside cuando su familia se va de vacaciones. Durante dichos periodos, cada una de las tareas para las que Martin precisaba apoyo (vestirse, comer o lavarse) eran fuente de humillación y ensañamiento. En ocasiones, la violencia era cruenta (golpes, quemaduras) y ponía en riesgo su salud y bienestar corporal, pero lo más recurrente era el desprecio y la humillación mediante insultos («basurilla», «desgraciado», «burro»), denigraciones (hacerle tragar su vómito, dejarle reposar en sus heces durante horas) y ridiculizaciones. Uno de los datos más espeluznantes de su historia es que las agresiones no siempre ocurrían en ausencia de testigos, sino que, en ocasiones, la cuidadora le agredía mientras «los otros cuidadores reían» (p. 150).

Los abusos sufridos, pasado un tiempo, comenzaron a ser también de carácter sexual. La cuidadora tocaba el cuerpo de Martin y lo utilizaba para frotarse y masturbarse. Él narra su sufrimiento: «mi alma se congelaba. Solo más tarde me invadía un sentimiento de vergüenza» (p. 154) y temor constante:

> «La ansiedad que sentía por lo que pudiera hacerme la próxima vez se iba acumulando en mi interior (...) El miedo cubría mis días como un velo. Sabía que no podía detenerla ni contárselo a nadie». (p. 154)

Su sensación de indefensión no era infundada. Aun si Martin en aquel momento hubiera podido comunicarse, gracias al apoyo tecnológico que posteriormente incorporó, su testimonio habría sido fácilmente desacreditado. Los dispositivos de Comunicación Aumentativa y Alternativa (CAA) no son, a día de hoy, considerados vías válidas de testificación. En consecuencia, tal y como denuncia ASPACE[65], cuando la única prueba es el testimonio de la víctima –lo cual es frecuente ya que la persona que agrede se encarga de no dejar rastro– el crimen goza de la más absoluta impunidad. Así aconteció recientemente cuando esta organización interpuso tres denuncias por crímenes escalofriantes (una de ellas, por una violación múltiple) y ni si quiera se investigaron los hechos porque las víctimas se expresaban a través de un dispositivo de CAA.

Las personas que agreden en contextos institucionales y/o a personas en situación de gran vulnerabilidad se saben impunes. El desprecio de la cuidadora por el cuerpo y la subjetividad de Martin era tan absoluto que, tras una de las agresiones sexuales, hace lo siguiente:

> «Lee una revista, pasando las páginas distraídamente mientras se hurga la nariz. Al final mira el reloj y se pone en pie. Pero justo cuando está a punto de marcharse se da la vuelta. Ha olvidado algo. La observo mientras arrastra el dedo por la manga de mi camiseta, limpiándoselo. En la manga queda un rastro de moco. Ahora su desprecio es absoluto».

---

[65] https://www.europapress.es/epsocial/igualdad/noticia-aspace-denuncia-archivo-casos-agresion-sexual-mujeres-paralisis-cerebral-no-admitirse-testimonios-20220312123252.html

El testimonio de Martin es la prueba de la «infrahumanidad» (utilizando el concepto de Fiona Campbell, 2001, 2009) que se atribuye a los cuerpos diversos institucionalizados. Es el capacitismo que posiciona a Martin como «infrahumano» lo que permite a la cuidadora actuar a expensas de los códigos morales y sociales de relación «entre verdaderos humanos». Martin está en un espacio liminal, su deshumanización no es absoluta ya que la violencia no se ejerce, con esa minuciosa perversidad, contra los objetos. La cuidadora le agrede porque, supuestamente, no la entiende ni puede juzgarla ni denunciarla, pero, al mismo tiempo, le insulta y le humilla como si la entendiese. Busca signos vitales y comunicativos en él, le acusa de «no querer comer», «vomitar a propósito» o «mirarla» durante los abusos sexuales, cosas sobre las que, teóricamente, él no tenía voluntariedad en aquel momento.

¿Era la cuidadora una psicópata y Martin tuvo la «mala suerte» de coincidir con ella? ¿Se trata de un caso especialmente trágico pero infrecuente? O, como dice Martin, ¿lo que es infrecuente es que la víctima pueda contarlo?

Las noticias sobre los abusos y el trato deplorable en las residencias de mayores son frecuentes. La misma dinámica acontece en las residencias destinadas a personas con DF, que siguen construyéndose, a pesar de las quejas del Comité de la ONU para el cumplimiento de la Convención Internacional de los Derechos de las Personas con Discapacidad. Dicho marco legislativo, ratificado por el Estado español en 2018, es de obligado cumplimiento y reconoce:

> «el derecho en igualdad de condiciones de todas las personas con discapacidad a vivir de forma independiente y a ser incluidas en la comunidad, con la libertad de elegir y controlar su vida». (Artículo 19)

En la Observación general n.º 5 (2017), se precisa que este derecho se debe de reconocer a todas las personas con DF, independientemente de su tipo de *discapacidad* o nivel de dependencia. El Comité ha recriminado en diferentes ocasiones al Estado español violar este derecho y ha prohibido, explícitamente, seguir invirtiendo y construyendo instituciones residenciales.

Las personas que trabajan en las residencias son las primeras en denunciar y reclamar horarios y condiciones más humanas tanto para ellas como para los residentes[66]. No suelen lograrlas, por lo que se tienden a acostumbrar a trabajar en esas condiciones que les exigen poner distancia emocional con los residentes. Las residencias promueven una «pedagogía de la crueldad», concepto que la antropóloga Rita Segato utiliza para referir la falta de empatía absoluta que se da en contextos de extrema violencia pero que se podría aplicar a este tipo de instituciones:

---

[66] https://mareareesidencias.org/etiquetas/sobre-nosotros

«Llamo pedagogías de la crueldad a todos los actos y prácticas que enseñan, habitúan y programan a los sujetos a trasmutar lo vivo y su vitalidad en cosas. En este sentido, esta pedagogía enseña algo que va mucho más allá de matar (...) la repetición de la violencia produce un efecto de normalización de un paisaje de crueldad y, con esto, promueve en la gente los bajos umbrales de empatía indispensable para la empresa predadora». (Segato, 208: 13).

Las residencias responden a la lógica de las «instituciones totales» que definió el sociólogo Erving Goffmann (1961). Se trata de instituciones, como el ejército, la cárcel o los psiquiátricos, regidas por normas y valores propios, donde los roles son rígidos y la jerarquía incuestionable. Las personas institucionalizadas, como los soldados, los presos o los pacientes, son obligadas a uniformarse, renunciando a rasgos y marcas propias de su individualidad. Una práctica habitual en estas instituciones es que, nada más ingresar, la persona es identificada con un número o código, debe abandonar sus pertenencias personales y vestir el uniforme del lugar. Asimismo, pasa a residir en un espacio (celda, habitación) idéntico al del resto de personas de su categoría social (presos, soldados, *locos*) regido por horarios y normas comunes.

El hospital también puede entenderse como una «institución total». En principio, el periodo de hospitalización es un tiempo caracterizado por la preeminencia de una mirada médica sobre la corporalidad, que busca diagnosticarla con certeza y aplicar el mejor tratamiento posible, idealmente en pro de la curación, pero si esta no es posible, como ocurre con las lesiones medulares, al menos sí de la máxima recuperación de la funcionalidad. En este sentido, en los itinerarios corporales realizados con personas con lesión medular traumática (García-Santesmases, 2015), los partici- pantes explicaban cómo el proceso de hospitalización era un proceso de *cesión* del propio cuerpo:

> «Desde el primer momento me tuvieron que desnudar, sondar, poner el aparato en la cabeza, y a partir de ahí el personal hizo lo que quiso conmigo». (Pedro, *Itinerario corporal,* 2013)

El hospital, como institución total, se rige por unas normas estandarizas de comportamiento y utili- zación del espacio, de regulación de la intimidad, la higiene, la alimentación y de la relación entre los diferentes actores sociales que buscan optimizar recursos. En consecuencia, el día a día de las personas hospitalizadas, así como el tratamiento de su corpo- ralidad, no se guía por criterios exclusivamente médico-expertos sino de gestión biopolítica. Los iti- nerarios corporales muestran cómo los pacientes de- ben acostumbrarse a la espera y a la incomodidad corporal:

> «los celadores venían, nos daban la vuelta y hasta las próximas tres horas pasase lo que pasase, alguien se le saliese la sonda y mojara la cama, pasara lo que pasara los celadores no

existían, todo el mundo sabía que se iban a dormir». (Pedro, *Itinerario corporal*, 2013)

Concretamente, la gestión hospitalaria de la falta de control de esfínteres resulta incómoda y vergonzante, cuando no traumática. Así lo relata también Eladio Herranz en su libro autobiográfico *El tercer día*, en el que narra sus primeros años con lesión medular. Durante la etapa hospitalaria recuerda que «defecar en la cama resultaba humillante (p. 43)», sobre todo, porque no le limpiaban inmediatamente y sentía «una permanente sensación de suciedad». Debía esperar a que fuera el turno de girar a los pacientes o que el personal lo considerara oportuno, así lo aprendió una de las primeras noches que pasó en el hospital:

> «Me hice el dormido porque entre otras cosas me sentía avergonzado. Vinieron a mirar y escuché cómo decían que había poco y que mejor esperaban porque seguramente haría más. Me volvieron a cubrir con la sábana y se marcharon. Me sentí tan humillado que rompí a llorar (…) entendí que aquello era así y que me tenía que aguantar. Pensaba a gritos cuánta cantidad de mierda hacía falta que evacuara para que me limpiasen». (p. 44)

No se trata de ejemplos anecdóticos sino de una gestión biopolítica del cuerpo que tiene efectos sobre la subjetividad de la persona institucionalizada:

> «La pérdida de intimidad, la normalización del desnudo, la medicalización, el control y patologización de la nueva corporalidad, la terminan

configurando como un elemento pasivo y deshumanizado, expropiado del propio sujeto». (García-Santesmases Fernández, 2015: 49)

Las personas ponen en marcha estrategias para soportar este proceso, como es el intento de disociación de la experiencia corporal:

«Yo me he pasado mucho tiempo en un hospital en el que me ha visto todo el mundo, entonces tal vez he asociado el momento en el que me están duchando en que soy como un trozo de carne en cierta manera». (Marta, *Itinerario corporal*, 2013).

En consecuencia, el periodo de hospitalización tiene una función latente que es la de *acostumbrar* a la persona a su nueva posición social: la del «cuerposujeto discapacitado» (García-Santesmases y Sanmiquel-Molinero, 2022). Con esto nos referimos a que durante el tiempo que pasan en el hospital las personas con lesión medular no aprenden solo que su cuerpo ha cambiado (por ejemplo, la movilidad y la sensibilidad se transforman sustancialmente), sino que su estatus social se ha visto devaluado y ya no deben esperar ni desear las mismas cosas ni relaciones. La violencia capacitista y la discriminación discapacitista comienzan en el momento en que despiertan del accidente, pero no como consecuencia natural de la transformación corporal sino de la etiqueta social asignada.

Por tanto, la violencia que sufrió Martin sucedió en un contexto de posibilidad material (las lógicas biopolíticas de la institución total) y simbólica (la condición de infrahumanidad atribuida a la *discapacidad*). No fue aleatoria, no fue impredecible y tampoco fue inevitable.

3.2 Violentadas

3.2.1 La niña eterna

> «Qué maravillosa solución para una situación desgarradora. Ashley es extremadamente afortunada de haber nacido en una familia tan amorosa».[67]

A Ashley, cuando tenía 8 años, le extirparon el útero, el apéndice y los pechos y le dieron bloqueadores hormonales para impedir su crecimiento. La familia de Ashley, con el aval médico y ético del hospital que la trató, querían que Ashley fuera una niña eterna. Nació con una encefalopatía estática que le genera una necesidad de apoyos generalizada: no se mueve ni parece comunicarse más allá de algunos sonidos y gestos. Es una de las "Pillow Angels" (los ángeles de la almohada)

---

[67] "What a wonderful innovative solution to a heart-breaking situation. Ashley is extremely fortunate to have been born in such a loving family." Toda la información sobre el caso que se refiere a continuación, así como la cita inicial, procede de la web, creada por los padres de Ashley, en la que explican y defienden el tratamiento: http://www.pillowangel.org/

que es como se denomina en EE. UU. a los menores que, por determinadas condiciones, «no pueden levantarse por sí mismos de la almohada». Los padres de Ashley y otros defensores de estos tratamientos proponen que se les apliquen este tipo de intervenciones extremas para que no se conviertan en "pillow adults" (adultos totalmente dependientes). Aducen que el estigma sobre los adultos dependientes es mayor («la gente los mira más y peor en la calle») y que, además, resulta más difícil atenderles porque pesan más y cuesta más moverles. Afirman que, si Ashley creciese, no podrían ocuparse de ella y tendrían que ingresarla en una residencia.

Las violencias ejercidas contra el cuerpo de Ashley no se circunscriben al capacitismo, sino que hay que entenderlas en su intersección con el patriarcado. Sus padres afirman que una de las razones para detener su crecimiento es que Ashley no va a entender su feminización: la menstruación le sería «incomprensible y molesta», asimismo sus pechos supondrían «un obstáculo para moverla» y «una incomodidad para ella a la hora de tumbarse». Por otra parte, ni a su familia ni a sus médicos les preocupaba la esterilización consecuencia de la intervención, ya que se dio por hecho que Ashley no es/no debería ser un cuerpo potencialmente reproductor. Alison Kafer, referente de la teoría *crip*, plantea que «los padres y los médicos de Ashley tuvieron que poner su cuerpo futuro –su cuerpo futuro imaginado– en su contra, utilizándolo como justificación para el Tratamiento»[68] (Kafer, 2017: 283). El cuerpo futuro de Ashley se proyecta como una encarnación indeseable debido a que la mente (infantil) y el cuerpo (adulto) no estarían «sincronizados»:

> «El Tratamiento era, pues, necesario para impedir que ese cuerpo imaginado, grande y pechugón –ese cuerpo grotesco y fértil– llegara a encarnarse»[69]. (Kafer, 2017: 290).

Por último, el tratamiento se justifica como un elemento preventivo frente a la violencia sexual: los padres afirman que extirpar sus pechos es prevenir «potenciales agresiones sexuales». El temor a que Ashley puede sufrir violencia no es infundado, aunque la respuesta quirúrgica no genere ningún mecanismo de protección para ella.

La violencia contra mujeres en su situación es una realidad cotidiana y silenciada, que tiene su correlato de ficción romantizado y erotizado. La fantasía de la violación del cuerpo femenino inerte e inconsciente, desde el beso de *La bella durmiente*, está muy presente en el imaginario colectivo. Para muestra películas de culto como *Hable con ella* (2002), de Almodóvar, o la más reciente *Kiki* (2016), de Paco León. En la primera

---

[68] "Ashley's parents and doctors had to hold her future body –her imagined future body– against her, using it as a justification for the Treatment."

[69] "The Treatment was thus necessary to prevent this imagined big and breasty body –this grotesque, fertile body– from coming into being."

el enfermero se enamora de la protagonista, que permanece en coma, y además de cuidarla amorosamente, la viola sistemáticamente. No obstante, el personaje masculino se presenta como entrañable y la violencia sexual queda adornada de romántica adoración. Asimismo, ocurre en *Kiki*[70], en que un hombre droga a su esposa paralítica cada noche para abusar sexualmente de ella, aunque al menos en este caso el director ha pedido disculpas públicamente por «haber romantizado» la violencia sexual y, con ello, «contribuir a la cultura de la violación»[71].

La violencia que sufren las mujeres con DF presenta particularidades que la hacen especialmente difícil de detectar, denunciar y juzgar. En primer lugar, porque es difícil conocer su magnitud, en parte porque hay pocos datos ya que, tal y como denuncia Cermi Mujeres[72], los estudios sobre violencia contra las mujeres no tienen en cuenta la variable *discapacidad*. No obstante, los pocos datos y estimaciones muestran una incidencia superior a la que afecta a las mujeres

---

[70] En la película se muestra la historia de un matrimonio. Ella, tras quedar en silla de ruedas, no parece interesada por mantener relaciones sexuales con su marido, quien decide drogarla cada noche para poder violarla sin su conocimiento. Cuando ella se entera, se encoleriza, pero cuando él le explica que «lo hizo porque la quiere», ella se enternece y se funden en un beso apasionado y reconciliador.

[71] https://www.20minutos.es/videos/cinemania/noticias/paco-leon-se-avergueenza-de-esta-trama-de-kiki-el-amor-se-hace-4914962/

[72] https://www.plataformaong.org/noticias/3517/no-estas-sola-no-mas-violencia--contra-las-mujeres-con-discapacidad

capacitadas. Según el informe del Parlamento Europeo (2014), uno los pocos macro estudios disponibles, más de un tercio de las mujeres con DF ha sufrido violencia física o sexual y un 55% una o más formas de acoso sexual.

La segunda dificultad es que el tipo de violencias que sufren están relacionadas con la intersección del género y la *discapacidad*, por lo que muchas veces las legislaciones que protegen a las mujeres no acaban de contemplar su situación o tener en cuenta sus necesidades específicas. A nivel material, hay una barrera clara en cuanto a la propia accesibilidad de las medidas de prevención, apoyo y acompañamiento que no suelen cumplir con los principios de diseño inclusivo. En consecuencia, hay mujeres que no pueden acceder a la información (cuando, por ejemplo, no se presenta en lectura fácil o no hay traducción a lengua de signos) o a los espacios de protección de víctimas y/o denuncia de agresiones (en el caso más evidente porque no son accesibles para sillas de ruedas).

No obstante, no se trata solo de un problema de acceso y recursos, sino del propio marco de inteligibilidad de la violencia. Como explica Segato (2018), hay que nombrar la violencia para entenderla, ya que las categorías amplias o poco precisas desdibujan las formas específicas en que el patriarcado se articula e impide encontrar vías útiles de respuesta[73]. La mayor

---

[73] Rita Segato explica que «el trabajo de los Derechos humanos es, justamente, un trabajo nominativo, es decir, los grandes avances de los derechos humanos se han dado en el campo de los nombres,

parte de legislaciones que regulan la violencia machista parten de que agresor y víctima tengan (o hayan tenido) una «relación de pareja» o, al menos, el crimen esté mediado por el deseo de establecer una relación afectiva y/o sexual. Sin embargo, en el caso de las mujeres con DF, la centralidad de la relación suele estar marcada por la necesidad de apoyos cotidianos por lo que los agresores son, mayoritariamente los cuidadores, tanto en el ámbito personal (familiares, parejas) como institucional (trabajadores de residencias u otros centros asistenciales). Y cuanto mayor es la dependencia de estos cuidados y menor los recursos propios (ingresos, red social, capital cultural), más se incrementa la probabilidad de ser agredidas.

Socialmente, aun hoy, se entiende que el varón no tiene obligación de cuidar. Tal y como puede observarse en las salas de rehabilitación de los hospitales, es más probable que, tras un accidente grave, la relación de pareja se rompa si la paciente es una mujer heterosexual[74]. Cuando el hombre asume el rol de cui-

---

en la lista de nombres del sufrimiento humano, en el descubrimiento y la formulación de nombres para aquello que no debería estar ahí» (Segato, 2018: 62). La autora pone, a continuación, el ejemplo de la «violencia alimentar» –aquella por la cual los varones comen más y primero, lo que genera que, en tiempos de escasez, las mujeres solo coman sobras–. «Una violencia material no nombrada en ninguna de las leyes que conozco, pero es también una violencia simbólica, una manera de significar la atribución de valor diferencial a las personas según el género» (2018:63).

[74] Así me lo explicaron, las profesionales entrevistadas, durante el trabajo de campo del proyecto «INVI – Infraestructuras para una vida independiente: una investigación participativa para repensar

dador principal, se concibe como una elección heroica[75]. Se entiende y empatiza con su cansancio y su hartazgo mucho más que a la inversa (cuando la mujer es la cuidadora), lo que conduce, muchas veces, a minimizar la violencia que puede ejercer. Y dicha violencia es frecuente, sobre todo cuando el varón es el cuidador principal, tal y como ilustra el siguiente testimonio de una víctima a la que entrevista la activista del FVID Marita Iglesias:

○ *¿Cómo se comportaba tu marido contigo antes de tener ELA?* Su trato era el que se presupone de una pareja; desde luego, jamás antes de mi enfermedad, hubo el más mínimo indicio de comportamiento violento.

○ *¿Por qué crees que cambió su forma de tratarte a raíz de tu enfermedad?* Sin duda porque necesitaba ayuda para realizar tareas que antes hacía de forma autónoma, el hecho de perder la voz complicó aún más que pudiese continuar asumiendo la educación de nuestro hijo y el día a día de la casa.

---

la vivienda, los cuidados y la comunidad en tiempos de pandemia» (financiado por el *Pla Barcelona Ciencia. Premios de Investigación Científica en Retos Urbanos en la Ciudad de Barcelona 2020*).

[75] Para profundizar en la relación entre «nuevas masculinidades» y cuidados, resulta interesante consultar el proyecto «Hombres cuidadores. Retos y oportunidades para reducir las desigualdades de género y afrontar las nuevas necesidades de cuidados» y sus publicaciones derivadas. Más información en: https://www.antropologia.urv.cat/es/investigacion/proyectos/homes-cuidadors/

En palabras de él, me convertí en una carga, una cruz.

o ¿Qué tipos de abusos recibiste por su parte? *De todo tipo: me anuló como persona, insultos, despre-cios, gritos, imponer su voluntad en la toma de deci-siones personales, negación de ayuda, agresiones como patadas, empujones, amordazarme, atarme, asfixiarme con la almohada...*

o ¿Qué maltrato te dolía más, el físico (activo) o el psicológico (pasivo)? *Ambos son muy dolorosos, en la situación de imposibilidad de pedir ayuda e indefensión en que me encontraba. Tenía una constante sensación de miedo ante su ensañamiento y sadismo que yo no comprendía.*

o ¿Qué impedimentos te encontraste a la hora de denunciarle? *Todos. Que se me discrimine por mi diversidad funcional, que me impide expresarme y actuar como los demás. La ausencia de partes de lesiones por no poder acudir a un hospital y, en resumen, la falta de previsión de la justicia para poder atender casos como el mío, lo que aumenta el miedo y la sensación de indefensión, por la indiferencia social con la que me fui encontrando.*

o ¿Crees que tu enfermedad te resta credibi-lidad a la hora de denunciar? *Claro que sí. La imagen que hay de la «Dependencia» está provocando una cierta comprensión social hacia ciertas actitudes de los «cuidadores» y restando derechos a quienes necesitamos una asistencia personal para poder vivir en igualdad de condiciones al resto.*

o ¿Se aprovechó de tu limitación física para alejarte de tu hijo? *Claramente sí; al anularme como persona, perdí el papel de madre y el respeto de mi hijo, quien pasó a imitar el comportamiento arisco de su padre, al hacerme culpable de los «trastornos» que les causó por mi enfermedad. No he tenido acceso a la toma de decisiones sobre su educación y únicamente he tenido noticias de él a través de uno de sus profesores[76].*

La violencia que sufren estas mujeres, dependientes de sus maridos, no recibe la misma catalogación que la de las mujeres *capacitadas*. Buen ejemplo es el tratamiento mediático y social de los asesinatos machistas en los que la víctima es una mujer mayor y dependiente. Rápidamente, hay voces que plantean que no puede entenderse como una cuestión de violencia de género, sino como el resultado de una situación límite de desborde del cuidador o, incluso, de clemencia. Si estas fueran las razones que motivan el crimen sería esperable que la situación se diera de manera más frecuente a la inversa, es decir, que las mujeres mayores asesinaran a sus maridos dependientes. Por el contrario, en estas situaciones, se naturaliza su papel como cuidadoras y se espera dedicación, entrega y abnegación. De hecho, en los casos, escasos y espectacularizados, en que una mujer cuidadora asesina a la

---

[76] http://forovidaindependiente.org/las-mujeres-y-la-diversidad-funcional/

persona que precisa de sus cuidados (sea su pareja o su hijo/a) los medios la construyen como desquiciada[77], porque solo la locura hace inteligible que no cumplan con el mandato de género de cuidar.

La violencia contra las mujeres con DF se produce y manifiesta en la intersección entre capacitismo y patriarcado, por lo que no puede ser inteligible si se intenta abordar, simplemente, como una cuestión de género «agravada». Marita Iglesias explica que las mujeres con DF son consideradas:

> «seres necesitados de recursos extra, formación extra, apoyo extra, extraordinariamente extra, como asegurándose de que permanezcan silenciosas y exteriores al diálogo feminista. En realidad, se nos saca del discurso y reivindicación feminista y se nos traslada, como híbrido inidentificable, al discurso asistencialista de los servicios sociales».[78]

Por ello, la violencia que sufrió Ashley, sometida durante años a tratamientos e intervenciones médicas innecesarias, que ella no decidió ni consintió, no fue entendida como un asunto feminista. Tal y como criticaron numerosas teóricas de los Estudios Feministas de la Discapacidad anglosajones, como la ya mencionada Alison Kafer (2017), el caso Ashley se sitúo como

---

[77] https://www.abc.es/espana/madrid/abci-madre-dice-matado-hijo-tirado-unos-contenedores-salida-madrid-202109151137_noticia.html

[78] https://iniciativasyestudiossociales.org/construyendo-la-igualdad/

un problema relacionado con la *discapacidad* y que, por tanto, les concernía en exclusiva a sus estudiosos y al activismo anticapacitista, que fue el que dio la batalla para que se prohibieran este tipo de intervenciones. No obstante, el cuerpo de Ashley fue diagnosticado e intervenido no solo como cuerpo *discapacitado*, sino como cuerpo feminizado: vulnerable, sexualizable y violable. Y su experiencia, y la de tantas otras mujeres con DF supervivientes de violencia, es un asunto feminista.

3.2.2 Mujeres resistentes

> «La lucha contra la discriminación y los prejuicios que experimentan las mujeres discapacitadas no se debe centrar solo en nuestra exclusión, sino también en nuestra supervivencia».
> (Morris, 1996:19)

Las mujeres con DF son depositarias de múltiples violencias, pero no son receptoras pasivas, sino que ponen en marcha estrategias de supervivencia, contestación y resistencia. Abordar la problemática desde un enfoque interseccional y prestar atención a la agencia, como explica la teórica y activista Janne Morris, es clave para dar cuenta de la complejidad de la producción y subjetivación de la violencia. En la investigación sobre violencia contra mujeres con DF («La voz de las subalternas, cinco narrativas de mujeres resistentes», García-Santesmases y Pié, 2015, 2017) analizamos cómo patriarcado y capacitismo se conjugan en sus trayectorias a partir de la elaboración de historias de vida, metodología que permite situar las violencias dentro del curso vital, entendiendo de manera contextual y dinámica su desarrollo.

Para llevar a cabo el estudio, en lugar de buscar mujeres que se identificaran como «víctimas», optamos por activistas anticapacitistas, con el objetivo de subrayar su agencia, partiendo de la hipótesis de que la violencia atravesaría sus vidas de una forma u otra. Cada una de las participantes difería en edad, clase social, lugar de residencia y tipo de DF: de nacimiento (ceguera, artrogriposis múltiple congénita) o sobrevenida (esquizofrenia, artritis reumatoide). No obstante, las violencias que experimentan, y las estrategias de resistencia que ponen en marcha para combatirlas, tienen mucho en común. Como mujeres con DF, se encuentran en una posición ambivalente: su rol de género les marca su papel como cuidadoras mientras que, como personas con DF, son socializadas y relegadas a la posición de objeto a cuidar.

En consecuencia, en los casos en que la violencia se produce en el marco de una relación afectiva, esta no suele seguir las pautas habituales de la violencia de género. En primer lugar, porque muchas veces las relaciones no son públicas ni conocidas por el entorno: las mujeres con DF son «las chicas de la puerta de atrás», aquellas que tienen relaciones que los varones pueden preferir mantener en el armario para sortear el estigma capacitista que pesa sobre estos vínculos. La activista y teórica Sole Arnau, una de las participantes, nos contaba la presión del entorno sobre sus parejas cuando la relación con ella se hacía pública:

> «reacciones por parte del entorno familiar como "¿esto es un acto de rebeldía por tu parte? ¿Qué haces con una chica en silla de ruedas?". Y de amistades que afirman: Mira, tío, no te lo iba a decir, pero alguien te tiene que decir algo, y yo soy tu amigo, y por eso mismo te tengo que decir que "¡¿cómo se te ocurre?!"»[79].

Esta presión social genera que las mujeres puedan interiorizar el temor a ser «una carga»:

> «(temía) condenarle a frustraciones mías de por vida. Le iba a condenar de por vida, el tiempo que durásemos. Pensaba que él sin mí podía hacer muchas cosas que de otro modo no serían posible, que era mucho mejor así... Él lo vivió mal. Al final nunca hizo esas cosas». (Sole)

Este temor a «ser una carga» no actúa solo dificultando las relaciones de pareja, sino que juega también en las relaciones familiares, de manera especialmente problemática cuando los cuidados no están cubiertos profesionalmente y se depende del «buen hacer» y la voluntariedad del entorno. Por ello, la

---

[79] Los fragmentos de entrevistas relativas a esta investigación fueron publicados originalmente en: Pié Balaguer, A. y García-Santesmases Fernández, A. (2015): "La voz de las subalternas. cinco narrativas de mujeres resistentes" en Freixanet (Coord.) *Gènere i diversitat funcional. Una violència invisible.* Barcelona: Institut de Ciències Polítiques i Socials, 253-328. ISBN 13: 978-84-608-3504-2.

promoción de la vida independiente se configura como una de las herramientas fundamentales para la prevención y protección contra las violencias, ya que permite a las mujeres (y a todas las personas) con DF decidir cómo y con quién vivir. El propio Cermi Mujeres pide, en su manifiesto con motivo del 25-N, que se promocione la asistencia personal como forma de prevenir la violencia contra mujeres con DF[80].

Otro elemento importante que emergió en la investigación mencionada («La voz de las subalternas, cinco narrativas de mujeres resistentes», García-Santesmases y Pié, 2015, 2017) fue la relación entre el género y si la diversidad funcional era de nacimiento (congénita) o adquirida (consecuencia de un accidente, enfermedad u otro tipo de condición sobrevenida). El tipo de violencias que se producen, su inteligibilidad por parte del entorno y la propia subjetivación que hace la víctima difieren en función de estas variables.

Montse García, una de las participantes, sufrió abusos físicos y sexuales en su adolescencia por parte del que entonces era su pareja. En aquel momento, ella era una mujer *capacitada* que no identificó la violencia como tal, sino que, según explica, normalizó los abusos como parte de la relación romántica. Y es interesante cómo, unos años después, a raíz de que su vida cambia tras el diagnóstico (tiene diferentes enfermedades degenerativas y autoinmunes) y el comienzo de

---

[80] https://www.plataformaong.org/noticias/3517/no-estas-sola-no-mas-violencia--contra-las-mujeres-con-discapacidad

la aparición de síntomas, comienza a reflexionar de manera más consciente sobre el tipo de relaciones que establece, a nombrar como violencia lo que sufrió y a identificar como violentas, ya no solo por razón de género sino también de discapacitismo, situaciones que experimenta. En su texto «Feminismo y diversidad funcional: Diccionario (incompleto) de violencias» (2016) analiza:

> «Eres tratada, con la "O", como "Objeto": desde que naces como objeto de satisfacción sexual de otros, para luego ser también objeto de estudio y análisis. Se te convierte en un objeto de dominio público: una donación en vida a la ciencia, al "bien común". Cuando no se unen ambas cosas y eres víctima de abusos sexuales durante los mismos procedimientos considerados terapéuticos».

Esta reflexión parte de la politización de su experiencia, la cual es propiciada por el apoyo entre iguales que encuentra en las organizaciones pro derechos de las personas con DF. Uno de los elementos importantes para Montse es la reconciliación con su cuerpo, el cual ya no cumple con los criterios estéticos hegemónicos:

> «Con la "F", "fealdad: Eres todo lo contrario a los anuncios de cosméticos: se abultan incomprensiblemente partes de tu cuerpo, te hinchas de tanto tomar cortisona, se te agrieta la piel y te salen estrías (cuando no úlceras), pierdes el

> cabello por culpa de la agresividad de los trata-
> mientos, caminas –cuando puedes– cojeando, y
> ves como poco a poco, para los ojos ajenos, te
> vas "deformando"». (DV)

El hablar con otras compañeras y ver ejemplos cercanos de empoderamiento corporal es lo que la permite comenzar a romper con el violento ideal de belleza femenino y mostrar su cuerpo en público:

> «Yo miraba en verano y decía ¿me pongo la falda
> o no me la pongo? (…) porque claro se ve que
> tienes una rodilla mucho más grande que la
> otra. Y llegó el punto que dices ¿y qué?, este "y
> qué" fue ayudado por otras amigas que se
> habían operado las rodillas y llevaban las
> cicatrices de un palmo, habían decidido que les
> importaba tres pitos y que se iban a la piscina y
> donde fuera con su minifalda y sus cicatrices de
> un palmo en las rodillas. Y yo dije "qué carajo,
> pues yo también me pondré lo que me dé la
> gana"». (Montse)

La reconciliación de Montse con su cuerpo pasa, precisamente, por erotizar las partes y funciona-mientos que la mirada capacitista y patriarcal marca como inadecuados e indeseables.

> «Hago danza del vientre porque quería explorar
> precisamente mi cadera y mi sensualidad, como
> mujer, con una de las partes que supuestamente
> está súper tarada que es la cadera».

La politización de la experiencia corporal y la reivindicación de la sexualidad son comunes a las activistas entrevistadas, de hecho, varias de ellas parti-
ciparon en el documental *Yes, we fuck!*, ya que tal y
como analizábamos:

> «El cuerpo y la sexualidad se tornan campos de
> batalla: es en sus cuerpos donde se ha puesto el
> problema, la tara, la deficiencia; es, pues, ahí
> donde tiene más fuerza la disidencia». (García-
> Santesmases y Pié, 2015: 324).

En el caso de Elvira, otra de las participantes, su
resistencia también tuvo que ver con las violencias
sufridas a partir de su diagnóstico (esquizofrenia para-
noide), diferentes a las experimentadas con anterio-
ridad. Durante su infancia, su padre abusó sexualmente de ella durante años, lo que seguramente
guarda relación con el brote psicótico que experimentó
en su juventud. Su diagnóstico, paradójicamente, la
liberó de ciertas presiones y expectativas de género y,
también, de las violencias que llevan aparejadas. En
sus propias palabras, «la salvó de tener que hacer esa
vida»: «esa vida» refiere a la repetición de la historia
materna de matrimonio temprano, violencia de género
y pobreza. Elvira pudo hacer «otra vida»: se unió al
activismo antipsiquiatría y allí conoció a su actual
pareja, un hombre con un diagnóstico similar y que
también había sufrido abuso físico y sexual en su
infancia. Elvira explica que encontrarse y contarse
mutuamente lo sufrido le permitió comenzar una

trayectoria vital propia: «a partir de ahí empezó una historia nueva de mi vida y nunca más volví a tener ganas de suicidarme».

Estos son solo algunos ejemplos de cómo las mujeres con diversidad funcional no solo sufren la violencia patriarcal y capacitista en su día a día, sino que la resisten y, de diferentes formas y en según qué momentos, la contestan. Y ponen de manifiesto que la intersección entre género y *discapacidad* no significa que las mujeres con diversidad funcional sean «doblemente oprimidas», sino que la violencia tiene que ver con cómo se construye y encarna la vulnerabilidad.

3.3 Violentado(re)s

3.3.1 ¿Él no lo pudo hacer?

> «Estas acusaciones se refieren a actos o gestos que simplemente me resultan imposibles por mi discapacidad» (...) «El acto sexual solo puede darse con la asistencia y benevolencia de mi pareja».
>
> (Damien Abad)

Damien Abad, ministro francés de Solidaridades, Autonomía y Personas Discapacitadas, tiene artrogriposis, una enfermedad minoritaria que reduce su movilidad y afecta a sus articulaciones. Ante las denuncias por abuso sexual y violación interpuestas por distintas mujeres, el ministro se mantuvo firme en defender su inocencia, la cual, a su parecer, queda probada por su «incapacidad física»:

> «Me es imposible imponer una u otra práctica, uno u otro gesto –añadió–. Si no es con el consentimiento y la participación plena y entera de la otra parte, nada es posible»[81].

El político afirmó que su corporalidad y funcionalidad le eximían no ya de haber cometido, de facto, el delito, sino siquiera de la posibilidad hipotética de haberlo podido hacer. Un argumento similar expuso el exconcejal madrileño Pablo Soto cuando una compañera de su partido le acusó de acoso. La denuncia no se hizo pública, los pocos detalles que se dieron situaron la potencial agresión en el baño, al que ella le acompañó porque él precisa ayuda para orinar. El político, que utiliza silla de ruedas eléctrica y precisa apoyos generalizados, afirmó no recordar «casi nada de aquella noche» debido a que «pesa 45kg» y «unas cervezas pueden sentarle realmente mal»[82]. A pesar de la diferencia sustantiva entre el carácter y gravedad de las acusaciones que enfrentaron Damien Abad y Pablo Soto, ambos acusados coinciden en la enmarcación de su defensa: su condición física de cuerpo *discapacitado* como eximente.

---

[81] https://www.lavanguardia.com/internacional/20220523/8285
569/coartada-ministro-francia-abad-violacion.html
[82] https://elpais.com/ccaa/2019/10/08/madrid/1570567719_71
3008.html

Y, a pesar de las declaraciones de tolerancia cero de sus partidos que les condujeron a la dimisión, una sombra de duda continúa rodeando sus casos... ¿Realmente fueron *capaces* de ejercer esa violencia? ¿No resulta, tal y como afirma Damien Abad, poco verosímil que él pueda drogar y arrastrar el cuerpo inerte de una mujer hasta la cama de su hotel? ¿A qué tipo de acoso se referirá la compañera de partido de Pablo Soto si este prácticamente no puede moverse? En definitiva, ¿puede un hombre *discapacitado* intimidar, imponerse físicamente e, incluso, abusar sexualmente de una mujer?

La derecha española, en el caso de Soto, se debatió entre el regocijo porque un político de izquierdas cayera víctima del MeToo que tanto defendía y la indignación ante «el último desvarío feminista de linchamiento masculino». Periodistas de renombre ironizaron con el caso:

> «les sugiero detenerse en la potencial hilaridad que puede desprenderse de que un acosador sexual vaya en silla de ruedas y pese 45 kilos. Realmente tiene uno otra imagen de los depredadores sexuales. Incluso tiene uno otra imagen de las mujeres. A ninguna amiga mía la acosa en un cuarto de baño un tipo de menos de dos metros de altura y noventa kilos de peso como mínimo. ¿De qué están hechas las militantes de Más Madrid, de papel maché?...».[83]

[83] https://blogs.elconfidencial.com/cultura/mala-fama/2019-10-16/pablo-soto-bill-burr-acoso-sexual_2283283/

La banalización de la violencia contra las mujeres es una de las estrategias que perpetúan la «cultura de la violación» vigente en la sociedad. En este caso, el descrédito no ya a lo que ocurrió, sino a lo que siquiera hipotéticamente podría ocurrir se basa en una concepción de la violencia machista como una cuestión que parte y precisa de la superioridad física del cuerpo masculino.

> «un hombre de 45 kilos en una silla de ruedas que precisa asistencia para miccionar no parece suponer, así a simple vista, un peligro real para una mujer adulta con su psicomotricidad intacta».[84]

Desde esta perspectiva, el testimonio de las víctimas narra una violencia inverosímil, que nunca tuvo ni podría tener lugar, porque es físicamente *imposible*. Se trata de una enmarcación naturalista y animalizadora de la violencia sexual, donde el cuerpo victimario lo es porque físicamente puede abusar y dominar, y el cuerpo víctima se somete, irremediablemente, porque es más débil. Por ello, resulta más inteligible la violencia cuando es perpetrada por hombres con DF intelectual que con DF física. Las conductas disruptivas en relación con la sexualidad y la relación con las mujeres del entorno es uno de los principales motivos por los que las entidades o las propias familias recurren a la educación afectivo-

---

[84] https://www.larazon.es/familia/cuando-todo-es-acoso-MD25264008/

sexual –ver libros de profesionales de la Sexología expertos en esta área, como Carlos de la Cruz (2018) o Carla Clos y Gemma Deulofeu (2014)–. Se temen sus cuerpos *capaces*, descontrolados por mentes *incapaces*.

Sin embargo, cuando la *capacidad* reside en la mente y la *discapacidad* en el cuerpo, la inteligibilidad de la violencia se difumina como si la violación fuera un acto sexual y no de poder. El argumento de la superioridad física del cuerpo masculino como origen y razón por la que acontece la violencia sexual es uno de los que sustenta la cultura de la violación que pone en cuestión el testimonio de la víctima cuando el agresor «no fue físicamente violento» y/o ella «no se resistió». Precisamente, la Ley de Garantía Integral de la Libertad Sexual, conocida como la Ley del 'solo sí es sí', así como el Movimiento MeToo buscan contraponerse a este marco y poner de manifiesto que la violencia física y sexual no se limita a agresiones físicas, es decir, a *imposiciones corporales*, sino a una relación de poder que genera situaciones de posibilidad para su ejercicio.

Algunos de los casos de los depredadores sexuales más conocidos, como Dominique Strauss-Kahn (ex director del FMI) o Roger Ailes (ex director de FOX News), no están protagonizados por hombres jóvenes, fuertes y vigorosos que forzaban sexualmente a las mujeres porque *físicamente* se les imponían, sino a hombres enormemente poderosos (y físicamente achacosos) que forzaban sexualmente a las mujeres porque estructural y simbólicamente *podían* hacerlo.

Por tanto, más allá de juzgar la violencia en base a la in/capacidad concreta de Abad o Soto para empujar, sujetar o forzar a una mujer (como si se estuvieran mesurando los cuerpos cual competición deportiva de fuerza y destreza), lo que hay que preguntarse es por el marco en que se producen y se hacen inteligibles las violencias perpetradas por hombres con diversidad funcional.

3.3.2 Disabled Angry White Men? (¿Hombres blancos discapacitados cabreados?)

> «Cuantos más logros alcanzo, más presión me pongo».[85]
> (Oscar Pistorius)

La Seducción (2017), película de la directora Sofia Coppola, cuenta la historia de siete mujeres aisladas durante la Guerra de Secesión americana en un colegio para señoritas. Su monótona y apacible existencia se ve truncada cuando entra un hombre en escena: se trata de un soldado herido al que, a pesar de pertenecer al bando enemigo, deciden ayudar y acoger hasta que esté curado. La llegada del soldado despierta curiosidad e interés en las más pequeñas, y excitación y fantasías románticas en las adultas. Cada una juega

---

[85] "The more I accomplish, the more pressure I put on myself."

sus cartas dentro de las posibilidades del recato impuesto a las mujeres de la época. Y él juega con todas ellas, conociendo bien el tablero de los deseos y aspiraciones de las jóvenes sureñas. Cuando se descubre el doble juego del soldado, se produce la típica escena de celos y gritos que acaba con su caída accidental por las escaleras. Queda inconsciente y malherido. Su pierna comienza a gangrenarse y la directora de la escuela decide amputarla.

La amputación, cual castración simbólica, aniquila también el carácter seductor del personaje. El soldado, al ver su cuerpo amputado, afirma que «preferiría mil veces estar muerto» y que ellas, antes rendidas a sus encantos, ahora «le miran con asco y compasión». Acusa a dos de las mujeres de haberle amputado la pierna intencionalmente como venganza por no haber satisfecho sus deseos sexuales, explicitando algo que parece insinuarse en las escenas iniciales: le prefieren herido, dependiente y, por ende, sumiso. Esta afronta a su masculinidad, que se explicita cuando grita «¡ya no soy un hombre!», lleva al personaje a emprender otros mecanismos de control de las mujeres: si antes eran los halagos, ahora es la coerción física. Se apropia de un arma de fuego y amenaza con asesinarlas. El soldado, antes gentil y lisonjero, es ahora un hombre desesperado, amargado y violento.

La ficción de esta película tiene su correlato de realidad. Oscar Pistorious[86], estrella paralímpica mundialmente conocida por sus prótesis biónicas, asesinó a su novia, la modelo Reeva Steenkamp, con un arma de fuego. Ocurrió tras una noche en que habían discutido, varios vecinos declararon que escucharon a una mujer gritar. La madre de la víctima afirmó que «su hija le contaba que discutían mucho» y en el móvil de Reeda se encontraron mensajes de Pistorious en tono posesivo y celoso. De hecho, su novia anterior, cuando supo del crimen, pensó «podría haber sido yo»[87]. Quien fue pareja de Pistorious casi dos años, le describe como un maltratador: un hombre violento y posesivo, que ejerció violencia física y psicológica contra ella y la amenazó de muerte en varias ocasiones.

A pesar de los indicios de que se trató de un crimen machista, el juez dictaminó «homicidio involuntario». Se dio por buena la versión de la estrella deportiva. Pistorious declaró que había sido un error, que disparó los cuatro tiros accidentalmente porque pensó que un ladrón había entrado en la casa. Aludió a su cuerpo *discapacitado* como un cuerpo vulnerable: «Me sentí atrapado porque la puerta de mi habitación estaba cerrada con llave y tengo una movilidad redu-

---

[86] La información referida sobre el caso Pistorious puede consultarse en: https://www.vox.com/2014/10/23/702 7829/oscar-pistorius-trial-south-africa-reeva-steenkamp-9-questions
[87] Las declaraciones de la ex pareja de Pistorious pueden consultarse en: https://www.mirror.co.uk/news/world-news/ex-girl friend-how-oscar-pistorius-terrorised-4206556

cida con mis muñones». Su defensa también aludió a esta supuesta vulnerabilidad producto de la DF y argumentó que «la criminalidad en Sudáfrica es alta» y que «debido a su condición de amputado vivía atemorizado y paranoico»[88]. La estrella del deporte paraolímpico fue un reo ejemplar y cumplida su condena, volvió a auparse como una estrella internacional.

Oscar Pistorius

El caso de Pistorious así como los casos citados al comienzo muestran que no se puede entender la violencia desde un solo eje de poder. Es precisamente la intersección entre capacitismo y patriarcado lo que ofrece claves para comprender quién ejerce la violencia, en qué marco, contra qué cuerpos y con qué objetivos. Y hay que tener en cuenta que la mascu-

---

[88] https://www.voanews.com/a/mother-of-slain-south-african-model-discusses-domestic-abuse/2675618.html

linidad, para ser reconocida como tal, requiere asumir el «mandato» que Rita Segato define como:

> «El mandato de masculinidad exige al hombre probarse hombre todo el tiempo; porque la masculinidad, a diferencia de la feminidad, es un estatus, una jerarquía de prestigio, se adquiere como un título y se debe renovar y comprobar su vigencia como tal». (Segato, 2018:46)

Probar la masculinidad requiere de la superación de «pruebas y desafíos» así como del reconocimiento público de la virilidad, una de cuyas máximas evidencias es la heterosexualidad. La película *Yo, también* (2009), protagonizada por Pablo Pineda, cuenta la historia de Daniel, un chico que se parece mucho al actor que le encarna: tiene síndrome de Down, es inteligente, ingenioso y le gustan las chicas *capacitadas*. La trama se basa en su enamoramiento por su compañera de trabajo. Cuando ella le rechaza, él se enfada y en una escena propia de la masculinidad más tradicional, «se va de putas». Bueno, lo intenta porque la escena acontece de la siguiente forma: Daniel llega a un prostíbulo de una callejuela de su ciudad, en la puerta están una prostituta fumando un cigarrillo y el guarda de seguridad (un hombre alto, calvo y musculoso) que no le permite entrar:

GUARDA: No se puede entrar. Este no es sitio para ti. Venga, aire.

Prostituta (paternalista y conciliadora, dirigiéndose al guardia): ¿Por qué no, Antonio?

Guarda: Que no, que esto es para mayores de 18 años.

Daniel: Yo tengo 34 años.

Guarda: Me da igual la edad que tengas, ¡aire! (ante el gesto insistente de Daniel). Que no, que esto es muy caro para ti.

Daniel (sacando sus tarjetas y poniéndolas frente a la cara del guarda): tengo dos tarjetas de crédito, ¡dos!

Guarda: Pues le compras un regalo a tu madre, venga tira para allá, ¿cómo le voy a dejar entrar? No chaval, no te pongas así que nos vas a entrar. (El guarda y la prostituta entran al local y cierran)

Daniel (mirando con rabia la puerta cerrada): ¡Eso no es verdad! ¡No soy un niño! ¡Tengo 34 años! (Dando un manotazo a la puerta y, a continuación, pateándola) ¡Soy un hombre y puedo entrar ahí si quiero! ¡Soy un hombre! ¡Soy un hombre!

Como analiza lúcidamente la escritora Cristina Morales, a través de la voz de uno de los personajes de su novela *Lectura fácil* (2018), en esta escena lo que grita Daniel es «yo, también… ¡soy un hombre!». Y se lo grita al otro varón, que es de quien espera reconocimiento, mientras que la prostituta queda en un segundo plano como potencial objeto de transacción, su opinión no es tenida en cuenta y Daniel en ningún momento habla con ella. Daniel intenta demostrarse como hombre, afirmando su madurez (no soy un niño), independencia económica (puedo consumir) y heterosexualidad. El personaje intenta afirmar públicamente lo que la antropóloga francesa Elisabet Badinter (1993) denomina «la triple negación de la masculinidad», es decir, que ser hombre se define por «no ser un bebé», «no ser una mujer» y «no ser homosexual». Sin embargo, la performance de género de Daniel resulta fallida porque no logra el acceso a ese espacio vedado que constituye la masculinidad, pues requiere del reconocimiento por parte de la «fratia masculina»[89].

La novela *Delirio*, de la famosa escritora colombiana Laura Restrepo, cuenta la historia de La Araña, un poderoso narcotraficante que queda parapléjico. El narrador explica que perdió «lo más sagrado» (p. 49), es decir, que «lograron salvarle el pellejo, pero no la dignidad, porque quedó parapléjico e impotente el infeliz» (p. 22). La impotencia sexual pone su masculinidad en cuestión tanto ante sus cofrades como ante sí mismo. Todos deciden poner los recursos a su alcance para que la recobre, es decir, para que consiga una erección. Los recursos a disposición son las mujeres. Intentan despertar la virilidad adormecida

---

[89] En *Las estructuras elementales de la violencia* (2003), Rita Segato explica que la violencia contra las mujeres gira en torno a dos ejes que se retroalimentan: uno, «vertical», que remite a la relación entre agresor y víctima; y otro, «horizontal», que refiere a la relación entre varones. Este segundo eje es el que constituye la «fratia masculina», esa complicidad inter-género que requiere al varón, para ser reconocido como parte del grupo, la capacidad de violentar el cuerpo femenino.

mediante la objetualización y denigración del cuerpo femenino. Contratan diferentes prostitutas, a cada cual más atractiva (según los criterios de clase y blanquitud vigentes) pero La Araña no consigue la ansiada erección, por lo que aumentan su frustración y rabia así como la ansiedad de sus subalternos. Terminan contratando a una pareja cuyo numerito sexual consiste en una práctica de BDSM en que a ella se le golpea y humilla. La escena parece satisfacer a La Araña, tal y como describe el narrador:

> «Nunca nada, desde el día en que nació, le había producido semejante éxtasis, te juro que lo vi amoratado entre su silla de ruedas gritándole al chulo: ¡Dale más! ¡Payasadas no, pónganse serios! ¡Dale con ganas! Y otras zafadas por el estilo, como un Nerón paralítico y ebrio de dicha que azuza a sus leones para que hagan maldades».

El azuzamiento se extrema y la prostituta termina muerta, víctima sacrifical del intento de restauración de la masculinidad. Este relato es el ejemplo extremo de una dinámica más amplia y profunda: la violencia que ejercen los varones con DF viene marcada por el «mandato de masculinidad» que, al no poder ser satisfecho de manera exitosa, genera rabia, frustración y agresividad. La feminización simbólica que les afecta es, en ocasiones, resistida mediante la violencia contra las mujeres, ya que una de las formas de afirmar la masculinidad, tal y como explica Rita Segato (2003), es violentar el cuerpo femenino. Evidentemente, no todos los varones con DF responden a la expulsión de la masculinidad hegemónica ejerciendo violencia, menos aún contra las mujeres –de hecho, hay quienes aprovechan esa posición *outsider* para plantear masculinidades alternativas (tal y como se analizó en el *cap. 1. Las ruedas del patriarcado*)–, pero lo interesante de analizar estos casos minoritarios es que evidencian que género y *dis/capacidad* están íntimamente entrelazados.

En conclusión, pensar la violencia como un ejercicio de poder sustentado por una estructura de desigualdad permite identificar como violentas determinadas conductas y como violentos determinados sujetos que, de otra forma, quedan velados por sus cuerpos.

Conclusiones

La violencia que sufren las personas con DF no es inevitable ni natural, es producto del capacitismo que produce la devaluación de ciertas vidas y una determinada organización social de los cuidados. Su cruce con el patriarcado genera determinados tipos de cuerpos violentado(re)s. La violencia que sufren las mujeres con DF no puede entenderse de manera unicausal (como una violencia producida *por el hecho de ser mujeres*) ni, tampoco, como consecuencia de la manida «doble discriminación» (la tesis de que están oprimidas por la suma de la opresión capacitista y patriarcal) sino que hay que entender la compleja intersección entre ambos sistemas y prestar atención a su agencia. Asimismo, la posición de los varones con DF, intersecada por el capacitismo y el patriarcado, es ambivalente: son potenciales depositarios y potenciales perpetradores de una serie de violencias. Sufren violencia porque no acaban de «ser hombres» y la ejercen por la misma razón, ya que el origen se encuentra en la violencia patriarcal que violenta los cuerpos feminizados y precisa que violenten los masculinizados.

4: LAS PRÓTESIS DEL PLACER
(LA SEXUALIDAD)

«He amado mucho, hasta querer morirme, fijaos qué disparate… y no tengo noticia de haber sido correspondido, tan solo indicios, destellos confusos, y algún que otro chasco. Finalmente, el acontecimiento no tuvo lugar… queda pendiente para la próxima vida.

Sin embargo, he practicado relaciones sexuales plenas, más de lo que la mayoría probablemente habría imaginado, y mucho, mucho menos de lo que me hubiera gustado en la vida. No lo comentaba casi nunca para evitar desaprobaciones inútiles e innecesarias. Pero en esta lista de cosas por las que mi vida ha merecido la pena el sexo no podía faltar».

(Paco Guzmán, *Panegírico*)

C on estas palabras, publicadas a título póstumo, se despedía Paco Guzmán, activista del FVID. Y subrayaba la importancia de la sexualidad en la vivencia personal y la concepción social de lo que es una vida plena, así como las dudas y suspicacias que genera cuando se ve atravesada por la diversidad funcional.

La sexualidad en la *discapacidad* es conceptualizada mediante dos mecanismos que parecen opuestos pero que, paradójicamente, resultan complementarios. El primero, el silenciamiento mediante la asexualización, responde a un intento, que sería cómico si no fuera tan violento, de infantilización eterna. Los profesionales y familiares que conviven en su día a día con la DF suelen obviar el tema de la sexualidad, por incómodo e inconveniente, como bien explica el sexólogo Carlos de la Cruz (2018) en su libro[90]. Este mecanismo resulta especialmente útil para la gestión de las grandes instituciones residenciales, en que la intimidad es un lujo ausente. Por supuesto, el género importa, y el silenciamiento de la sexualidad femenina es más profundo y frecuente que el de la masculina. Asimismo, ocurre de forma aún más perversa si la expresión de la sexualidad es contranormativa: los profesionales y familiares niegan con más vehemencia el deseo sexual o la expresión de género de la persona con DF si esta no corresponde con la heteronormatividad (De la Cruz, 2018).

El segundo mecanismo mediante el que se define y gestiona la sexualidad en la DF es la hipersexualización de ciertas expresiones y prácticas. Se niega la agencia del individuo mediante la catalogación de las expresiones sexuales como meros impulsos biológicos

---

[90] De la Cruz, C. (2018). *Sexualidades diversas, sexualidades como todas: aportaciones desde la sexología al ámbito de la diversidad funcional y la discapacidad*. Madrid: Fundamentos.

que, por tanto, requieren del control y la supervisión *capacitada*. La hipersexualización tiene varias expresiones, una de ellas es la conceptualización de esta sexualidad como perversa. En este sentido, resulta especialmente interesante pensar en el morbo que rodea al «enano bombero-torero», personaje, aún hoy, habitual en las despedidas de soltera. Su rol es el de contrapunto, el de versión paródica[91] y burda, del verdadero stripper, aquel «realmente» sexy y excitante. Sin embargo, si bien se podría pensar que actúa como simple bufón desexualizado, cada cierto tiempo los medios recogen la noticia (¿falsa?) de que «una prometida se quedó embarazada del enano de su despedida»[92], reactivando la figura del sátiro mitológico, perverso, potente e insaciable. La hipersexualización también pasa por la fetichización sexual de la diferencia corporal o funcional, cuyo máximo exponente sería «lo *devotee*» (tema que se tratará en el quinto capítulo) y que es habitual en las páginas porno bajo la etiqueta «bizarro».

---

[91] Lo que parodia el enano bombero-torero es el espectáculo de objetualización del cuerpo masculino para satisfacción de la mirada femenina, que muestra como ridículo y absurdo. Por ello, en las despedidas de soltero, el striptease femenino no va acompañado de una versión satírica porque el deseo y excitación masculina no son ninguna broma, de hecho, la inclusión de una mujer con acondroplasia se entendería solo en casos en que el público masculino tuviera esa preferencia.

[92] https://blogs.publico.es/bulocracia/2018/02/06/embarazada-de-un-boy-enano-en-su-despedida-de-soltera-desde-hace-mas-de-tres-anos/

Ambos mecanismos, la asexualización y la hiper-sexualización contribuyen a un mismo propósito: el de categorizar *esa* sexualidad como algo esencialmente diferente, que no responde a las lógicas normativas, y humanizadoras, de relación y deseo. Y que, por tanto, puede, y debe, ser acotada, supervisada, regulada o, directamente, ignorada. Es una sexualidad más cercana a la infancia o la vejez, inesperada y categorizada como indeseable debido, en parte, a que en el imaginario colectivo sigue muy presente la vinculación deseable-esperable y potencial reproductor. La categorización de la sexualidad diversa como una sexualidad *otra* es interiorizada por las propias personas:

> «La fuente de nuestra opresión más profunda también suele ser la fuente de nuestro dolor más profundo. Nos resulta más fácil hablar –y formular estrategias– para combatir la discriminación en el empleo, la educación y la vivienda que hablar de nuestra exclusión de la sexualidad y la reproducción»[93]. (Finger, 1992: 9)

Mediante la regulación y negación de la sexualidad «resulta más fácil acotar los horizontes vitales de las personas con diversidad funcional a la mera supervivencia» (Centeno, 2014:102). En consecuen-

---

[93] "The source of our deepest oppression; it is also often the source of our deepest pain. It's easier for us to talk about—and formulate strategies for changing—discrimination in employment, education and housing than to talk about our exclusion from sexuality and reproduction."

cia, politizar la (a)sexualidad en la diversidad funcional se convierte en un proyecto político de más amplio calado que permite remover el fango capacitista que sedimenta, por ejemplo, los recursos residenciales. Este ha sido uno de los objetivos del activismo anticapacitista en la última década, en que la sexualidad se ha convertido en elemento de «producción epistémica, práctica política y construcción identitaria» (García-Santesmases Fernández, 2017: 56-57). El cambio de repertorio de este activismo, que acompañé y analicé en mi tesis doctoral –*Cuerpos(im)pertinentes: un análisis* queer-crip *de las posibilidades de subversión desde la diversidad funcional*–, puede observarse en campos como las artes escénicas integradas y la performance (García-Santesmases y Arenas, 2017; Arenas y García-Santesmases, 2018) o las denominadas «alianzas *queer-crip*» o «tullido-transfeministas» (para conocer más sobre la genealogía y análisis de estas «alianzas» en el contexto español, ver García-Santesmases et al., 2017; o Platero, 2013).

Pero la reivindicación de la sexualidad no se circunscribe a circuitos activistas, sino que alcanza a las asociaciones tradicionales del movimiento asociativo de la *discapacidad*, como el CERMI o Plena Inclusión (que comienzan a poner la sexualidad en la agenda, principalmente mediante formaciones a profesionales, familiares y a las propias personas con DF); diferentes campos profesionales asociados (la sexología, la educación especial, la educación social, y la incipiente asistencia sexual, etc.); el ámbito legislativo (la Convención sobre los Derechos de las Personas con Discapacidad ya incorpora en el artículo n°. 23 «el derecho a casarse y formar una familia») y el de las políticas públicas (la Estrategia Española sobre Discapacidad 2022-2030 también incluye los derechos sexuales y reproductivos como prioridad). Estos sectores se preocupan, principalmente, por la educación afectiva y sexual, así como por la promoción y reivindicación de derechos sexuales y reproductivos.

Los medios de comunicación también comienzan a interesarse por la sexualidad y la diversidad funcional, sobre todo centrándose en la discusión sobre asistencia sexual[94]. Y la industria cultural es, sin duda, promotora del cambio. En poco más de una década, solo en el contexto español, se producen cuatro documentales (*Yes, we fuck!; Yo también quiero sexo*[95]*; Amores tutelados, sueños de igualdad*[96]*; Y yo ¿por qué no? La Sexualidad de personas con discapacidad intelectual o del desarrollo*[97]), dos películas de ficción (*Yo, también*[98]*; Vivir y otras ficciones*[99]),

---

[94]   https://www.eldiario.es/illes-balears/sociedad/asistencia-sexual-personas-discapacidad-tabu-sombra-prostitucion_1_9007302.html https://www.lavanguardia.com/vida/20140126/54399485668/asistencia-sexual-sexo-discapacidad-sexualidad-diversidad-funcional.html

[95] https://www.ccma.cat/tv3/alacarta/sense-ficcio/jo-tambe-vull-sexe/video/5634098/

[96]   https://www.ccma.cat/tv3/alacarta/sense-ficcio/amors-tutelats-somnis-digualtat/video/6160770/

[97] https://www.youtube.com/watch?v=K2K4mjvg2Xw

[98] https://www.filmaffinity.com/es/film548924.html

[99] https://www.filmaffinity.com/es/film910887.html

una novela (*Lectura fácil*[100], que da origen a la obra de teatro que lleva el mismo nombre y a la serie de televisión *Fácil*) y una obra de teatro (*Supernormales*[101]) que tienen la reivindicación de la sexualidad en la *discapacidad* como núcleo argumental. Y los programas de entretenimiento empiezan a incluir personajes con DF, véase la participación de Chiqui (una mujer con acondroplasia) en *Gran Hermano* y su posterior posado en *Interviú*, o la ya mencionada participación de Oyirum (activista anticapacitista) en *First Dates*, por limitar los ejemplos al contexto español.

En conclusión, en tan solo una década, la sexualidad de las personas con DF pasa de constituir un tabú a reivindicarse públicamente, incluso, como un derecho y una necesidad a la que socialmente hay que dar respuesta. Desde una perspectiva feminista y anticapacitista, esta reivindicación suele leerse en términos de liberación, empoderamiento y transgresión. Pero ¿es la reivindicación de una sexualidad estigmatizada necesariamente transgresora? ¿Qué construcciones de género y *dis/capacidad* subyacen a estas demandas y discursos? Este capítulo comienza reflexionando sobre estas cuestiones a partir del análisis de los grandes imaginarios que totalizan los discursos en torno a la sexualidad y la diversidad funcional: la necesidad y el

---

[100] Morales, Cristina (2018): *Lectura fácil*. Barcelona: Anagrama.
[101] Carrodeaguas, Esther F. (2022): *Supernormales*. Madrid: Instituto Nacional de Artes Escénicas y Teatro.

derecho. A continuación[102], se intenta desbordar este marco y en lugar de apuntar a la *falta* (de derechos, de acceso, de posibilidades, etc.), se pone el énfasis en la *potencia de esa sexualidad*. Por último, se plantea una lectura *crip* que desvela el capacitismo que configura todas las sexualidades y revela placeres silenciados.

4.1 La asistencia sexual a debate: derechos y deseos

El primer gran imaginario que marca la concepción de la sexualidad en la diversidad funcional está marcado por el paradigma Médico-Rehabilitador y se condensa en la idea de la necesidad: una sexualidad «carente», una sexualidad que necesita. Esta alusión a la reivindicación de la sexualidad de las personas con DF suele realizarse desde una perspectiva desgenerizada, como si la *discapacidad* les convirtiera en un sujeto homogéneo, en que hombres y mujeres tuvieran una vivencia, necesidad y deseo análogos. Asimismo, es curioso que se suele reivindicar la sexualidad de estas personas como una cuestión de igualdad con el resto, presuponiendo un otro «normal» que, se sobreentiende, sí estaría teniendo una vida sexual satisfactoria. A continuación, se desentrañarán los constructos de género que subyacen a esta desgenerización que pro-

---

[102] Parte del análisis aquí planteado y de las referencias utilizadas fueron originalmente publicadas en: García-Santesmases Fernández, A. (2019): «Luces, cámara y erección: la asistencia sexual a escena». *Encrucijadas: Revista Crítica de Ciencias Sociales*, 17, 1-19.

clama la «sexualidad de» y se planteará qué peaje
conlleva dicha reivindicación desde una perspectiva
anticapacitista.

4.1.1 «Ha habido madres que han tenido que masturbar a sus hijos»

> No quiero morir virgen.
> (Marc O'Brien, *Las Sesiones*)

El temor a «morir virgen» es el núcleo argumental de
la conocida película *Las sesiones* (*The Sessions*, Ben Le-
win, 2012), basada en la experiencia real de Marc
O'Brien (periodista y poeta tetrapléjico que requería
de un pulmón de acero la mayor parte del día) que
perdió su virginidad con una «sustituta sexual»
(*surrogate* en inglés). Su necesidad sexual se plantea
como perentoria debido a que, como él explica, «se
acerca su fecha de caducidad». Ante esta situación
límite, tanto sus asistentes personales como sus amigos ponen todos los recursos a su alcance para que
pueda lograr su primera relación sexual. Incluso el
cura, con quien tiene una estrecha relación, le da su
bendición.

Asimismo, la película *Nacional 7* (2000) gira en torno a la «urgencia sexual» del protagonista, un hombre
con una enfermedad muscular degenerativa que utiliza
una silla de ruedas y vive en una residencia. Se le
retrata como una persona amargada, malhumorada y
de difícil trato. Su aislamiento se rompe cuando apa-

rece Julie, una nueva trabajadora a la que expresa el supuesto origen de su frustración e infelicidad: «no puedo más, esto no es vida». Luego, con una risa histérica, continúa «estoy cachondo, estoy cachondo todo el día, no follo desde que estoy en este lugar». Y finaliza: «necesito una puta, necesito que me consigas una prostituta, solo ellas querrán hacerlo conmigo y solo usted me puede ayudar». Julie mueve cielo y tierra para lograrlo.

Lo que tienen en común ambas películas, así como muchas otras sobre sexualidad y diversidad funcional (ver García-Santesmases Fernández, 2019) es que independientemente del tipo de servicio sexual al que se alude, el sujeto destinatario es masculino y el proveedor femenino. Esto acontece también, de forma mayoritaria, cuando se habla de asistencia sexual, aunque *a priori* se presente como un servicio desgenerizado para «personas con DF». El documental *Jo també vull sexe!* (JTVS)[103] comienza enunciando que «muchas personas con diversidad funcional no pueden tener acceso a la sexualidad si no es través de un asistente sexual». Y así nos muestran a su protagonista:

---

[103] Montse Armengou y Ricard Belis (2017): *Yo también quiero sexo* (en castellano). https://www.ccma.cat/tv3/alacarta/sense-ficcio/jo-tambe-vull-sexe/video/5634098/

«¿Soy un bicho raro?, no, soy Jesús, una persona, que tiene sus sentimientos, que quiere amar, que quiere ser amada. [...] No que mi cara sea un impedimento (la cámara se acerca para ir mostrando en primer plano todas las partes «deformes» de su anatomía que él va mencionando), no que mis manos sean un impedimento, no que mis pies sean un impedimento, o sea todo yo un impedimento».

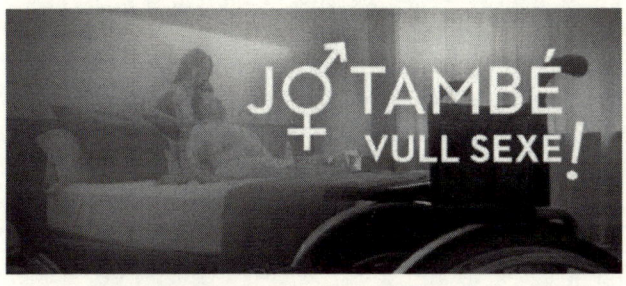

Jesús en una habitación de hotel con una asistente sexual,
imagen del documental *Jo també vull sexe!* (JTVS)

El siguiente caso que presenta el documental es el de Xavi, un joven que debido a un accidente de tráfico presenta secuelas físicas, cognitivas y comunicativas. Es su madre quien cuenta la historia y expresa su preocupación porque «Xavi no puede masturbarse», lo que se plantea como un problema (para él y para su entorno) al que hay que dar solución: «Una vez le dijo al hermano "hazme una paja". Él no llega para hacérselo y la movilidad no la tiene. Y si no puede, pues hay que buscar a alguno que lo haga».

La preocupación de las familias, principalmente de las madres, por la salud y el bienestar de sus hijos comienza a incluir la esfera sexual, no solo en el caso español. En Dinamarca, las madres jugaron un rol fundamental para acabar con el tabú en torno a la sexualidad y la diversidad funcional[104] y en Inglaterra varias famosas, con hijos con DF, están protagonizando la discusión[105].

No obstante, ¿estamos ante un fenómeno novedoso fruto de la apertura sexual actual? El prostíbulo que regenta la Señora Rius en Barcelona, seguramente el más mediático de la ciudad, tiene una línea de especialización para «personas con diversidad funcional» (así se llama en su página web). A pesar de este aparente plural inclusivo, evidentemente, al igual que en el resto del mercado sexual, la clientela hipotética y fáctica es masculina. La *madame* explica que, si bien ahora lo ofrecen como un servicio específico, «estos chicos» siempre han sido un target predilecto. También Montse Neira, prostituta que decidió «especializarse en ese colectivo» (Neira, 2012: 96) cuenta que muchas veces son las madres quienes la contactan. Y lo mismo explica Rachel Wotton, fundadora de la

---

[104] Ver el libro *Loneliness and Its Opposite: Sex, Disability, and the Ethics of Engagement* (Kulick y Rydström, 2015).
[105] El siguiente artículo explica, desde una perspectiva anticapacitista crítica con el rol protagonista de las madres, los dos casos en que famosas británicas se han manifestado sobre el tema:
https://www.kidspot.com.au/parenting/dear-katie-price-a-disabi
lity-doesnt-take-away-your-right-to-privacy/news-story/b97c6c1a
668b3da430f6992868c678a3

organización de «trabajo sexual especializado en discapacidad» Touching Base[106], en el documental *Scarlet Road* (2011). En dicho documental se ve cómo una de las madres prepara el encuentro sexual como un regalo por el cumpleaños de su hijo y ambienta la habitación, como si de un hotel se tratara, decorándola con pétalos de rosa y bombones en la almohada.

La conexión entre los hombres con diversidad funcional y la prostitución es histórica[107] y desde luego no son las madres las precursoras ni principales impulsoras, pero sí que su protagonismo es significativo, ya que no acontece cuando se trata de hombres *capacitados*. Las madres se implican en la sexualidad de sus hijos con DF, incluso en la búsqueda y provisión de «servicios» sexuales; por un lado, porque consideran que responden a una necesidad biológica y, por otro, porque incluyen esa tarea como forma de atención y cuidado. Los dos mecanismos (asexualización e hipersexualización) que se explicaban en la introducción, se complementan a la hora de explicar la implicación materna. Además, es frecuente que las madres lo vean como una manera de masculinizarles, de literalmente «convertirles» en hombres o, en los casos en que la DF

---

[106] https://www.touchingbase.org/

[107] Hay muchos otros actores implicados, desde los pares (como puede verse en películas como *Nacido el 4 de Julio* o *Hasta la vista*), hasta los amigos, hermanos o los padres. En este sentido, no dista sustancialmente del consumo de prostitución del resto de varones, que continúa rigiéndose por lógicas de fratria y socialización intragénero.

es sobrevenida, «devolverles» la virilidad «perdida». La madre de Xavi lo evidencia cuando, tras el servicio de asistencia sexual, afirma: «le veo más feliz, más pleno, más hombre». Asimismo, el libro *Sensuales. Relatos de sexo y afecto en la discapacidad* cuenta el caso de una madre y su hijo con síndrome de Down quien, gracias a la intermediación de su progenitora, acude a la Madame Rius. Tras el servicio, «la madre pensaba para sí "ya tengo un hombre en casa"» (Clos y Deleufeu, 2014: 45).

En esta línea, llevando la implicación materna al extremo, en la obra de teatro ya mencionada, *Supernormales*, basada en testimonios reales, aparece una madre que explica cómo masturba regularmente a su hijo para «aliviar su necesidad» y dejarle más relajado y contento. Esta alusión, «a las madres que se ven obligadas a masturbar a sus hijos» es una imagen repetida en la discusión en torno a la asistencia sexual. En el citado documental JTVS, también sobrevuela el fantasma de «las madres que han tenido que masturbar a sus hijos», que es repetido por asistidos, asistentes sexuales y propulsores de organizaciones. La propia madre de Xavi afirma que «ha habido madres que han masturbado a sus hijos antes de buscarle una persona, pero yo no lo haría».

En todos estos productos, la movilización del tabú del incesto funciona como justificación de la urgencia de la reivindicación de asistencia sexual. Como explica una de las asistentes, «para eso está la Ruth» (para que las madres no tengan que masturbar a sus hijos, se sobreentiende). Es curioso cómo se va produciendo una lógica argumental que pasa de una supuesta descripción de la realidad («hay madres que se ven obligadas a masturbar a sus hijos») a una especie de imperativo («alguien lo tiene que hacer»). A pesar de que estas propuestas de asistencia sexual, una suerte de prostitución especial, se plantean como un recurso para «todas las personas» con DF, y no solo para los hombres, el sesgo heteronormativo es innegable. En primer lugar, porque el deseo sexual femenino, si se expresa, se ubica más en el campo de los afectos y la intimidad, nunca aparece dotado de esa urgencia. De ahí que resulte inverosímil pensar que alguien pudiera denunciar que «ha habido madres que han tenido que masturbar a sus hijas».

En la misma línea, ¿qué pasaría si el recurso se justificara en base a «ha habido padres que han tenido que masturbar a sus hijas»? O, de forma menos escabrosa, «hay padres que buscan, facilitan y pagan servicios sexuales para la aliviar las necesidades de sus hijas *discapacitadas*». Aquí ya no se plantearía que hay una figura abnegada, que pone su propia erótica en suspenso para apoyar la de su hijo (se sobreentiende que las hipotéticas madres que se encargan de esta tarea lo hacen con desagrado, frustración y/o conmiseración). Si se invierte el género, se despierta la sombra del abuso, sobre el padre pesaría la sospecha de que su propio deseo estuviera en juego y, de hecho, estuviera aprovechando la situación de vulnerabilidad de su hija. Incluso, si se trata de un padre y un hijo, independientemente de la orientación sexual declarada del padre, pesaría la sospecha[108].

En conclusión, la narrativa androcéntrica es clara: el deseo sexual masculino es naturalizado como una necesidad biológica, lo que lleva a situarlo como una demanda legítima que debe ser satisfecha. Y su satisfacción es una responsabilidad femenina.

4.1.2 Caricias terapéuticas

> «Es una opción de vida que tienen de "voy a ayudar a esta gente"».
> (Jesús, *Jo també vull sexe!*)

En las películas analizadas al comienzo, *Las Sesiones* y *Nacional 7*, a pesar de que el tipo de trauma y carácter de los personajes difiere sustancialmente, el sexo actúa en ambos casos como un elemento de curación y normalización: tras varios servicios de pago se reconcilian con sus cuerpos y su sexualidad, mejora su carácter, su socialización y encuentran pareja. La idea de encontrar una pareja, como *happy ending* latente, se

---

[108] Este caso es el que investiga Marlene de Beer, en que el padre declaró que masturbaba a su hijo con una necesidad de apoyos generalizada porque no tenía otro recurso mediante el que responder a su «necesidad sexual». Para más información: "Paternal Masturbation of Profoundly Disabled Son: South African Case Study" (de Beer, 2019).

repite en las películas y el documental analizados. En *Jo també vull sexe!* (JTVS) varios asistentes explican que lo que los clientes con DF necesitan y buscan «realmente» es «sentirse amados». De esta forma, la idea de la necesidad biológica se conjuga, paradójicamente, con la del deseo afectivo. JTVS acaba con su protagonista explicando que la práctica de asistencia sexual fue satisfactoria pero «encontrar una pareja que me quiera como soy es mi mayor sueño, ojalá lo encuentre» (Jesús).

La alusión a la afectividad y el cuidado se plantea como forma de marcar la diferencia entre la asistencia sexual y la prostitución. Así lo explica Jesús «no son prostitutas, es una opción de vida que tienen de "voy a ayudar a esta gente"». La experiencia de la asistencia sexual se retrata como única y trascendente, varias profesionales aluden al enorme agradecimiento de las personas asistidas. Por ejemplo, la psicóloga Gema explica «(un asistido) me dijo: gracias porque ha sido el momento más bonito de mi vida». El cuerpo *discapacitado* se presenta como objeto a tratar, desexualizado y, también, desgenerizado. En este sentido, esta enmarcación de la asistencia sexual como una práctica terapéutica más que erótica facilita que las mujeres con DF puedan ser concebidas como potenciales clientas. En la única historia de asistencia sexual de JTVS protagonizada por una mujer con DF, ella expresa «me siento muy bien, es como una terapia, he descubierto tanta paz que es increíble, me ha cambiado la vida» (Inma). Y reafirma la idea de este servicio como la única opción posible para acceder a la sexualidad: «Yo tengo que pagar para que toquen mi cuerpo» (Inma).

Incluso en la única historia del documental que trasgrede el marco heteronormativo, aquella protagonizada por un asistente sexual *queer*, igualmente se alude a la asistencia sexual como un trabajo que tiene que dar respuesta a «las necesidades sexuales» de las personas con DF. En este sentido, se puede observar que la idea de la «carencia» sexual de las personas con DF se vuelve un elemento definitorio del colectivo, que les homogeneiza por delante de diferencias de género u orientación sexual.

La ubicación de la asistencia sexual como una práctica terapéutica intenta situarla como un terreno radicalmente distinto a la prostitución. En el documental, se plantea la prostitución convencional como un terreno hostil[109] para la DF. Jaume explica: «a los 20 años decidí ir con una prostituta y mi sorpresa es que cuando me ve se pone a llorar y dice "lo siento, pero no puedo, no puedo". Es muy traumático porque piensas "ni pagando tendré sexo, ni pagando"». También las personas que realizan las asistencias sexuales

---

[109] Esta narración no algo específico del documental, sino que es recurrente en diferentes películas, autobiografías y otros relatos de hombres con DF. Por ejemplo, en el famoso libro, posteriormente película, *Nacido el 4 de julio*, el protagonista, recientemente amputado, en su primera visita a un burdel se encuentra con que la prostituta se queda consternada al verle, llora y abandona la habitación sin cobrarle.

recalcan esta diferenciación: la asistencia sexual reque-
riría mayor sensibilidad («no puedes pedir a todas las
prostitutas que tengan la sensibilidad con alguien a
quien se le puede relajar el esfínter, caer la baba…»,
explica Dyon) y tiene una función rehabilitadora («mi
tarea es más terapéutica, la de las prostitutas más de
descarga genital», dice Ruth).

Sin embargo, a pesar del esfuerzo que se hace desde la
asistencia sexual y prácticas análogas por diferenciarse
del campo de la prostitución, cuando se alude a la DF
este campo también moviliza el imaginario asistencial-
rehabilitador. Por ejemplo, en la entrevista «El placer
no entiende de minusvalías» realizada a Montse Neira,
se explica que «el sexo, en ocasiones, es también una
terapia para sus clientes»[110]. Asimismo, la ya mencionada madame Señora Rius, explica:

> «Gracias a esto mucha gente nos ve con mejores
> ojos. La satisfacción que me da poder ayudar a
> esta gente justifica y hace que valga la pena que
> yo haya dedicado mi vida a hacer señores»[111].

Como explica la madame: «gracias a esto mucha
gente nos ve con mejores ojos», es decir, la atención a
clientes con DF es una forma de legitimar la prostitución como una «labor social». De hecho, la campaña de

---

[110]
https://www.laopinioncoruna.es/sociedad/2009/04/26/placer-
entiende-minusvalias-25332963.html
[111] https://www.vice.com/es/article/exwz7e/la-prostitucion-a-la-
antigua-069

la Plataforma Stop Abolición, alude, en su carta fundacional, a la «situación de desprotección en que quedarán los clientes discapacitados» y su impulsora reclama: «¿Qué harán ellos? Ellos también necesitan ser acariciados y entendidos»[112].

En conclusión, los diferentes servicios sexuales (se definan como asistencia sexual, prostitución o trabajo sexual) que se orientan a las personas con DF tienden a enmarcarse como una forma de cuidado asistencial-rehabilitador en que pareciera que lo único que las diferencia y las hace potencialmente demandantes de asistencia sexual son sus «carencias sexuales». Este primer gran imaginario en torno a la sexualidad y la DF que la define como una sexualidad «necesitada» resulta capacitista porque parte y perpetúa la tesis de la indeseabilidad intrínseca de las personas con DF, las cuales solo podrían acceder a la erótica y los afectos mediante servicios especializados.

4.2 ¿Derecho al sexo?

Más allá del marco capacitista de «la sexualidad carente», hay otro gran discurso en torno a la sexualidad y la diversidad funcional: el de los derechos. De esta forma, se enmarca la cuestión desde una perspectiva más propia del Modelo Social de la Discapacidad, en la

---

[112] https://www.elmundo.es/cronica/2022/11/29/638494cd21ef a0dd408b45a4.html

que el problema no reside esencialmente en la diferencia corporal o funcional, sino en las barreras físicas y simbólicas, en este caso, a la expresión y práctica de la sexualidad.

4.2.1 El acceso al propio cuerpo

> «Qué bonito es tocarse».
> Sole

El documental *Yes, we fuck!* muestra la historia de Sole, una mujer que debido a su falta de movilidad no puede tocarse, acariciarse o masturbarse. Para ello, recurre a Teo, un asistente sexual. La escena comienza con ambos personajes sentados frente a frente mientras Sole explica sus deseos y dudas en torno a la asistencia sexual: «No sé qué quiero pedirte, no sé hasta dónde quiero llegar con un asistente sexual». Teo escucha atentamente y asiente con la cabeza. Posteriormente, se muestra la ejecución de la práctica de asistencia sexual. El escenario es la habitación de Sole, por lo que se trata de un entorno doméstico y cotidiano. El documental busca enfatizar el autodescubrimiento y autoerotismo de Sole, la experiencia sexual acontece y se refleja en su cuerpo. Teo lleva una cámara en la frente por lo que lo único que aparece de su cuerpo son sus manos y sus brazos. Sus movimientos siguen los dictados de Sole que va indicando qué quiere que le toque y cómo. También va expresando sus sensaciones «uy, mi pezón, nunca me lo había tocado antes», y termina suspirando «ay, qué bonito es tocarse».

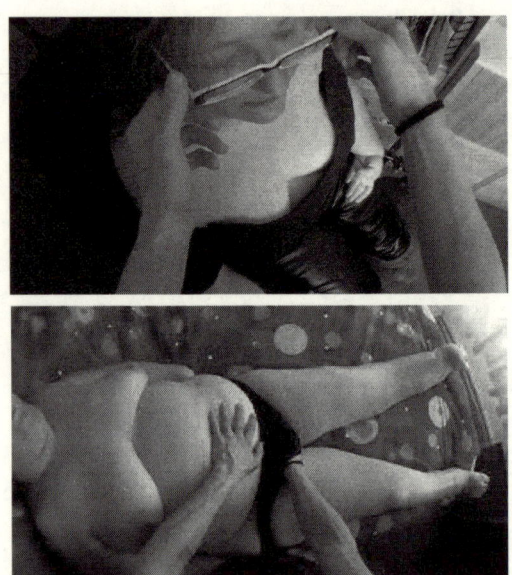

Imagen de la historia de asistencia sexual
del documental *Yes,we fuck!*

Esta historia busca proyectar un modelo de
asistencia sexual acotado a lo que una persona puede
hacer consigo misma cuando es autónoma físicamente, esto es: tocar su propio cuerpo, acariciarse,
masturbarse o utilizar un juguete sexual. En este
sentido, se plantea la asistencia sexual haciendo una
analogía con la asistencia personal («las manos de
estas personas»): un apoyo para asegurar el acceso al
propio cuerpo y, con ello, garantizar la igualdad de
oportunidades, en este caso en el ámbito de la sexua-

lidad. Por tanto, no se defiende que la asistencia sexual sea un recurso para «todas las personas con DF» (igual que la asistencia personal tampoco lo es) sino solo para aquellas que lo requieran para poder realizar las mismas actividades que las personas *capacitadas* desarrollan en su día a día. Esta propuesta de definición y limitación del servicio es la que defiende el proyecto español «Tus manos, mis manos. La asistencia sexual para personas con diversidad funcional como derecho al propio cuerpo» (asistenciasexual.org) y va en la línea de otras propuestas internacionales, como el modelo danés (que se detalla más adelante).

Es fundamental subrayar que, desde esta visión, la asistencia sexual no implica (y no debe implicar) relaciones sexuales entre la persona asistente y la asistida. Por ello, lo denominamos «modelo de auto-erótica» en contraposición al presentado anteriormente –encarnado por organizaciones como Tándem Team en Cataluña o Sexualidad Funcional en Valencia– que denominamos «modelo de conexión erótica» (García-Santesmases y Ferreira, 2016). De hecho, Tándem Team, tras varios años ejerciendo, vista la polémica en torno a qué debía incluir (y qué no) la asistencia sexual cambiaron el nombre del servicio que ofertan por el de «acompañamiento erótico».

El modelo danés, que se rige por *Guidelines about Sexuality – Regardless of Handicap* (2001), se encontraría dentro del modelo de auto-erótica, ya que prescribe un apoyo a la sexualidad basado en el acceso al propio cuerpo. Dicho apoyo incluye desde información y asesoramiento hasta asistencia en la masturbación y en las relaciones sexuales entre dos personas con DF, pero no la relación sexual entre asistente y persona asistida (de hecho, la guía prohíbe explícitamente esta posibilidad). La guía está destinada a orientar la labor de personas que trabajan en el ámbito de los cuidados y la asistencia personal ya que en Dinamarca la asistencia sexual, bajo este nombre, es residual[113]. No obstante, esto no quiere decir que todos los trabajadores del mundo de los cuidados estén obligados a proveer este tipo de apoyo, en el ámbito de la sexualidad, a los usuarios, pero sí que aquellos que no quieran encargarse de la tarea deben buscar a un compañero/a que se responsabilice.

Un servicio acotado de esta forma podría considerarse un derecho tal y como defiende Rafael de Asís, profesor de Derecho, en su artículo «¿Es la asistencia sexual un derecho?»:

> «La justificación de la asistencia sexual en relación con personas que no pueden realizar actividad sexual sobre su propio cuerpo puede encontrar una justificación ética de la mano de la teoría de las necesidades o de la mano de las Actividades Básicas de la Vida Diaria, e igualmente puede formar parte de los derechos

---

[113] La única organización que ejerce ahora mismo en el ámbito danés es Handisex: https://handisex.dk/?lang=en

sexuales o del derecho a elegir una forma de vida». (de Asís, 2017:15-16)

Esta propuesta de asistencia sexual incluiría el apoyo a las relaciones sexuales entre personas con DF en los casos en que por su corporalidad o funcionamiento lo requieran. Esta es la historia del documental, producido por sus protagonistas, *Sex assistant*[114], que cuenta la historia de una joven pareja heterosexual, ambos en silla de ruedas, que quieren mantener sus primeras relaciones y necesitan el apoyo de una tercera persona. Esa tercera persona no estaría, o no debería de estar, involucrada eróticamente en la relación, sino que debería ser un apoyo para que la pareja pueda desarrollar su sexualidad de la manera más íntima y privada posible.

Si bien el ideal prescriptivo de esta propuesta se basa en que el rol del asistente es «meramente instrumental» y «en ningún caso es objeto de deseo» porque «no hay relaciones íntimas» entre ambas partes[115], parece complejo trazar una frontera nítida entre sexualidad y asistencia. Se alude a tareas que precisan de un contacto íntimo y directo con el cuerpo asistido, en el que los genitales son expuestos y manipulados. Sin embargo, esto también acontece, por ejemplo, en los exámenes ginecológicos o urológicos o en la depilación genital. Se podría argumentar que la diferencia

---

[114] https://www.youtube.com/watch?v=BGZnXD2-oaM
[115] https://www.europapress.es/epsocial/igualdad/noticia-expertos-defienden-asistencia-sexual-personas-discapacidad-frente-prostitucion-roles-son-diferentes-20220523181046.html

reside en que la asistencia sexual tiene el fin de la excitación sexual e, incluso, de la obtención de placer (de la persona asistida). Pero ¿qué esté en juego el deseo de la persona asistida es lo que marca una frontera? ¿Quedaría entonces en cuestión la profesionalidad de un examen ginecológico o de una depilación íntima si resultara excitante para el paciente o cliente?

Más allá de la complejidad en torno a la delimitación de la frontera entre la erótica y la asistencia, esta propuesta entraña una complejidad mayor: si bien la metáfora de la asistencia personal funciona para entender cómo la asistencia sexual podría constituir un soporte específico y acotado en la sexualidad de las personas con movilidad reducida, resulta más complejo de pensar en otras diversidades, como la intelectual o el TEA (Trastorno del Espectro Autista). La misma problematización que las autoras de los Feminist Disability Studies (Morris, Wade, Hyller) plantean a la definición de la asistencia personal y a la propia noción de vida independiente (detalladas en el apartado 3.2.) –en relación con el sujeto ideal que presupone (el *able-disabled* al que aludía Wade, 1995) y la defensa férrea de la «toma de decisiones en primera persona»– se podría aplicar a esta propuesta de asistencia sexual. En este sentido, cuando se defiende el acceso a la sexualidad se debe pensar en un sentido más amplio, ya que la especificidad de las barreras a la expresión y la práctica no se limitan a una cuestión de acceso físico.

La expresión y vivencia de la sexualidad no parten de una necesidad biológica que lo único que requiere es de una corporalidad funcional para satisfacerla –o de los apoyos instrumentales, como la asistencia personal, para suplirla–, sino que se enmarcan y se encarnan en el patriarcado y en el capacitismo. Los imaginarios de lo posible y deseable constriñen los deseos y sus posibilidades de expresión, en ocasiones literalmente. Por ejemplo, una persona que se exprese mediante un dispositivo de Comunicación Aumentativa y Alternativa (CAA), como puede ser un tablero con pictogramas, tiene limitada sus posibilidades de enunciación a dichas imágenes predeterminadas entre las que puede que no figure ninguna que aluda a la sexualidad.

En conclusión, la aplicación del Modelo Social al ámbito de la sexualidad constituye un apoyo fundamental en pro de los derechos sexuales y reproductivos de las personas con DF, pero genera determinadas tensiones, desde una perspectiva feminista y anticapacitista, por su concepción instrumental de los apoyos (en este caso, la asistencia sexual) y su propuesta implícita de consentimiento sexual.

4.2.2 *Las sombras del consentimiento*

> «La retórica del consentimiento implica que el de-
> seo está ahí, a la espera, perfectamente formado
> en nuestro interior, listo para que lo saquemos».
> (Angel, 2021: 55)

Eneas, un chico con autismo, es el protagonista del documental ficcionado *The Special Need* (Carlo Zoratti, 2013). La narración comienza con su despertar sexual, el cual se plantea como conflictivo ya que se traduce en conductas «inapropiadas» con las mujeres de su alrededor, que podrían ser categorizadas de acoso, como miradas insistentes o preguntas repetidas e inadecuadas a chicas desconocidas («busco una chica guapa», «¿tienes novio?») a las que sigue por la calle y luego reprocha «¿por qué huis de mí?». De nuevo, el personaje protagonista, el varón con diversidad funcional, se muestra como traumatizado por la falta de sexualidad. La diferencia es que Eneas no tiene una barrera física o un carácter difícil, sino que su dificultad reside en la expresión y concreción de su deseo.

A pesar de que en una escena de fraternidad masculina afirma que ha estado «con una docena de chicas», acto seguido aclara que «ha intentado hacer el amor con una docena» y que, de facto, no lo ha logrado con ninguna. Su discurso continuamente mezcla ficción y realidad, por mucho que su entorno se esfuerce en que concrete y sitúe sus necesidades. Ante esta imposibilidad, terminan siendo sus conductas las que son interpretadas y consideradas definitorias de sus deseos. En una escena en la piscina, mientras Eneas incomoda a chicas desconocidas, sus amigos (todos ellos *capacitados*) discuten qué ocurre: ellos piensan que «el problema es su virginidad» y que precisa «satisfacer un instinto sexual biológico»; ellas, por el contrario, enfatizan que lo que necesita es una relación afectiva.

Son ellos quienes terminan tomando la iniciativa y le llevan a un prostíbulo. Eneas parece de acuerdo con la propuesta, pero una vez llegan al local, a los pocos minutos de haber entrado, lo abandona. Los amigos, algo irritados, le siguen y le inquieren. Él no es capaz de hilar un discurso coherente, sino que aduce diferentes excusas, como que «mejor otro día» o que «no tenía dinero», que llevan a uno de ellos a espetarle «si tanto lo desearas, lo habrías hecho; yo creo que realmente ni se te ha pasado por la cabeza». Eneas calla.

Los amigos comienzan a dudar sobre la conveniencia de la «solución» que están propiciando: ¿entiende Eneas el tipo de servicio que le ofrecen?, ¿es realmente lo que quiere? Uno de ellos muestra preocupación porque crea que «la prostituta es su novia», el otro afirma que «mejor eso que nada». Los amigos escuchan hablar de un lugar en que se provee «asistencia sexual» y le conducen allí. Eneas, al igual que en otros momentos de la película, muestra una construcción heteronormativa y fantasiosa de su deseo, y afirma que se imagina el lugar «como una fábrica de mujeres, con cientos de ellas». En consecuencia, expresa cierta decepción al llegar. Se trata de una casa de campo, aislada en la montaña, en que varias mujeres de mediana edad tienen relaciones sexuales con hombres con DF. No queda claro si se trata de terapeutas o de prostitutas especializadas en ese campo, aunque el retrato obedece más a lo primero. Dichas relaciones se adaptan a los deseos y necesidades de cada usuario, de forma que en el caso del protagonista se limitan a los besos y las caricias del cuerpo desnudo, que se producen tanto en un taller erótico grupal como durante una sesión individual que tiene con una de las asistentes.

Tras el servicio, Eneas y sus amigos emprenden el viaje de regreso. El protagonista se muestra satisfecho, a pesar de que los amigos muestran extrañeza porque no haya «culminado» (es decir, que no haya realizado el coito). Él explica que no lo hizo porque no era su «novia», repitiendo una consigna proporcionada en el centro: «la terapeuta no es tu pareja y no va a ser la mujer de tu vida». En consecuencia, cuando los amigos le preguntan si han cumplido la misión, él muestra, ante el desconcierto de su entorno, que su anhelo continúa insatisfecho: «lo que realmente quiere es estar con una chica, encontrar novia».

Por tanto, la película acaba planteando la duda de qué es realmente lo que quiere Eneas. ¿Siempre quiso una pareja y la confusión vino porque su deseo no fue inteligible para su entorno? ¿O es que su deseo fue mutando?

En cualquier caso, lo que pone de manifiesto su historia es que difícilmente el modelo de auto-erótica (García-Santesmases y Branco, 2016) podría responder a su deseo/necesidad, el cual no sigue el cauce de racionalización y verbalización que requiere esta propuesta. Y esto desvela una de sus las principales problemáticas: el intento de conceptualización y explicitación del deseo sexual que presupone e implica. La persona asistida debe no solo saber lo que quiere, sino cómo lo quiere y ser capaz de verbalizarlo correctamente. Debe guiar las manos del asistente sexual para que le apoyen en un deseo que, por tanto, no emerge en la interacción, sino que debe pre-existir a esta. Y no es que el deseo no pueda cursar de esa forma, pero no todos los sujetos tienen la misma familiaridad con esos códigos.

Como explica Katherine Angel (2021) a propósito del consentimiento, lo problemático de esta reivindicación es que se espera, y exige, a las mujeres que sepan lo que quieren, cómo lo quieren y cuándo lo quieren. Lo que permite, además, responsabilizarlas de las consecuencias o prácticas que pueda generar ese deseo.

> «La verbalización explicita de la mujer sobre su deseo se exige tanto como se idealiza (...) La voz de la mujer carga con un gran peso: el de garantizar el placer, el de mejorar las relaciones sexuales y el de solventar la violencia». (Angel, 2021: 20)

En el caso de las mujeres con DF, la cuestión se vuelve aún más espinosa. Se espera que se posicionen como sujetos sexuales, frente a un marco capacitista que las desexualiza. Pero, además, contraviniendo el mandato de género, se espera que se reivindiquen como deseantes sin ser deseables ya que, en esta propuesta de asistencia sexual, no debe jugar el deseo del asistente.

4.3 Orgasmos en la residencia

A pesar de las diferencias entre el discurso de la necesidad y el discurso del derecho, ambos tienen algo en común: posicionan a las personas con DF como sujetos carentes. En el primer caso, como seres necesitados de afecto, de erótica, de relaciones; en el segundo, como sujetos privados de sus derechos y oportunidades. El primer imaginario responde al Modelo Médico-Rehabilitador (su sexualidad es *defectuosa* y debe de tratarse y rehabilitarse), el segundo al Modelo Social (la sexualidad está *discapacitada* por las barreras, hay que poner medidas para acceder en igualdad de condiciones). Ambos modelos, que tienen la hegemonía de la representación, tienen la virtud de visibilizar que las personas con DF son seres deseantes, pero pareciera que a costa de aseverar que precisan de la intervención externa para desarrollar su sexualidad.

Y habría que preguntarse, ¿son realmente las vidas de las personas con DF existencias carentes de erotismo? ¿Son cuerpos latentes que esperan el mo-

mento en que acaben las barreras, las discriminaciones, para, ahí sí, dejar explotar el deseo y comenzar
a disfrutar? ¿O podría el deseo y el placer tomar otras
formas, en ocasiones, invisibles para la mirada *capacitada*?

4.3.1. Placeres silenciados

> «Había romance en el aire».
> (Judy, *Crip camp*)

El documental *Crip Camp* («Campamento Tullido»)
narra la historia de Jened, un campamento veraniego
que unos hippies de los 70 organizaban para jóvenes
con DF. Varios de los asistentes, que luego se con-
virtieron en activistas del MVI, explican que era un
espacio de libertad y empoderamiento, en que «no exis-
tía el mundo de afuera» ("there was not an outside
world") y, por tanto, podían pasar cosas que en sus vidas diarias eran inimaginables. Uno de sus protagonistas, Jim, explica sus temores cuando llegó al campamento:

> «La primera noche en la cabaña estaba un poco
> nervioso. Acaban de operarme. Hasta entonces
> llevaba pañales porque no controlaba la vejiga.
> ¿Te puedes imaginar cómo es tener 15 años y tra-
> tar de ocultar que llevas pañales? Sentía la pre-
> sión constante de que alguien lo iba a descubrir».

Sin embargo, en el campamento encontró un
espacio en que las diferentes formas de moverse o

comunicarse no recibían ese juicio *capacitado*. Jim explica: «En el campamento a todos les pasaba "algo" con su cuerpo (*at the camp everyone had something going on with their body*) así que no era un gran problema (..)». Él, que durante el curso escolar se sentía aislado («algunas veces volvía a casa directamente después de la escuela, me metía en la cama durante horas, para escaparme del mundo»), en el campamento se siente popular y conoce a Nancy, su primera novia. Recuerda cómo estaban «todo el tiempo enrollándose» y en el documental se muestra la emoción de ambos cuando cumplen «su primera semana de noviazgo». Otra de las participantes, Judy, recuerda: «había romance en el aire, si querías experimentarlo. Yo nunca salí con nadie fuera del campamento. Pero en Jened podías enrollarte con alguien detrás de las cabañas y sitios así». Esta también fue la experiencia de Neil: «"tuve mi primera cita, salí con una de las campistas y sentí que ponía su mano en mi polla. Fue el paraíso (risas)».

El teórico de los Estudios de la Discapacidad, Tom Siebers (2012), plantea que las personas con DF constituyen una «minoría sexual», ya que experimentan discriminaciones análogas a otras minorías sexuales como las restricciones legales e institucionales a su intimidad, a la expresión de su sexualidad y a su posibilidad de establecer relaciones consensuadas con sus parejas. Más que una sexualidad latente o inexistente lo que hay es una sexualidad mayoritariamente en el armario, estigmatizada, invisibilizada o, incluso, patologizada. Parafraseando a Javier Romañach (2009) y su *Bioética al otro lado del espejo*, si se mira la sexualidad «desde el otro lado del espejo» –es decir, desde el punto de vista y la experiencia de las personas con DF– se podrá observar cómo, por los resquicios de la mirada médica, se cuela el deseo. El Modelo de la Diversidad aplicado al ámbito de la sexualidad permite imaginar cómo las sexualidades no normativas, fraguadas durante décadas en los armarios y los cuartos oscuros, pueden, hoy en día, estar gestándose en las residencias.

En las investigaciones que he realizado con personas con lesión medular, algo que al comienzo me pareció una anécdota, emergió como una experiencia recurrente. Este tipo de lesiones, sobre todo si son lesiones altas (las que derivan en tetraplejia) y/o completas (es decir, la sensibilidad y/o la movilidad se pierden totalmente), requieren de un periodo de hospitalización muy largo. Dicho periodo, como se explica en el capítulo de la violencia, es un periodo de «acostumbramiento» (García-Santesmases y Sanmiquel-Molinero, 2022) pero también de descubrimiento. Es habitual que durante esos periodos liminales[116] se produzcan relaciones intensas, sobre todo entre los pacientes que, también, pasan por el ámbito afectivo y sexual.

---

[116] Para un análisis más en profundidad sobre el proceso de hospitalización como periodo liminal con relación a la *dis/capacidad* y el género, consultar: García-Santesmases, A.; Sanmiquel-Molinero, L. (2022): "Embodying Disabled Liminality: A Matter of Mal/Adjustment to Dis/ableism". *Sociology of Health and Illness*, 377-394.

Son habituales los flirteos, escarceos, y primeras tentativas de (re)descubrimiento de la sexualidad, tal y como explican en los siguientes itinerarios:

«Hicimos un grupo de amigos en "la planta de niños". Había una chica, también, que era de Canarias (...) Había chicas en otras plantas que eran un poco mayores, muy majas. Bebíamos cervezas incluso con ellas, tomamos alguna pizza, nos escapábamos por la noche». (Kike, *Itinerario corporal,* 2013)

«Enseguida hacías una relación muy estrecha con la gente que estaba allí. Me llevaba muy bien con algunos enfermeros, porque claro, es que te acabas conociendo un montón (...) me acuerdo de que había un par de chicos con los que me llevaba muy bien, que al final les llamaron la atención para que no estuvieran tanto conmigo (risas) (...) la verdad es que eso a mí me gustaba un celador, el que te digo, con el que estaba. Y luego ingresó un chico que había tenido un accidente de moto, ahí, súper mono, y bueno tonteamos un poco. (Sara, *Itinerario corporal,* 2013)

«Recuerdo a Pep, otro que iba en silla, pero este era parapléjico, podía levantarse. Venía por la noche, y como yo no podía mover los brazos, a vacilarme y decir "te voy a tocar la teta" y yo decir "me cago en la puta no me puedo mover" (risas)». (Alba, *Itinerario corporal,* 2013)

Curiosamente, esos mismos pacientes que en la fase más aguda de la lesión, cuando el dolor era más fuerte y la movilidad más reducida se habían permitido, como mínimo, desear, una vez regresan a casa opacan ese deseo y afirman que la sexualidad es la última de sus prioridades. El contexto de posibilidad desaparece, pasan a ser los *otros* y esa posición de otredad conlleva la desexualización. Por tanto, la falta de sexualidad no tiene tanto que ver con el *impairment* (el componente físico) como con la *discapacidad* (el componente social): no es el cuerpo paralizado lo que impide la sexualidad sino un entorno en que ese cuerpo no es imaginable.

Otro ejemplo que muestra la influencia determinante del entorno a la hora de pensarse o encarnarse como sujetos sexuales son los "rehab babies". Cuando hice trabajo de campo en Suecia, estuve en contacto con la organización Active Rehabilitation (AR) que organiza campamentos anuales para personas con una lesión medular reciente. Dichos campamentos son liderados por personas que llevan más años de lesión, de forma que se promueve el apoyo entre iguales, que explican y enseñan trucos y habilidades para adaptarse a la nueva realidad. Los campamentos tienen una parte de entrenamiento físico, otra de reflexión colectiva y otra de socialización y encuentro. Cuando pregunté si se producían relaciones afectivo-sexuales en dichos espacios, me confirmaron, entre risas, que se habían formado tantas parejas que sus hijos/as ya tenían un nombre: "rehab babies".

Sin embargo, este tipo de historias transcurren de manera periférica a lo que se considera sustancial de la rehabilitación. La hegemonía del Modelo Médico-Rehabilitador a la hora de conceptualizar la DF, en el ámbito sexual, se traduce en investigaciones centradas en la superación del «déficit» (motor, sensorial, sensitivo) y, sobre todo, en la consecución de la capacidad reproductiva. Hoy en día, en los dos principales centros de tratamiento y rehabilitación de lesiones medulares y neurológicas (Institut Guttmann y Hospital Nacional de Parapléjicos), la reivindicación de la sexualidad se ha traducido en la creación de unidades específicas de reproducción. Por lo demás, el resto del «tratamiento de la sexualidad» suele circunscribirse a la

prescripción de fármacos como viagra o sucedáneos, principalmente destinados a los varones con lesión medular, que favorecen una erección exitosa (entendida como la que se mantiene el tiempo suficiente para lograr el coito).

Precisamente, para pasar de poner el foco en la *física* de la sexualidad al aspecto simbólico de la misma, que concierne a lo deseable, imaginable y disfrutable, comenzamos el documental *Yes, we fuck!* Para dicho documental, nos parecía importante incluir una historia con personas con DF intelectual. La pauta del proyecto era visibilizar, por fin, una imagen positiva y empoderada de la vivencia de la sexualidad en la DF, pero teníamos dudas de que ese fuera el discurso entre las personas con DF intelectual que iban a participar. Cuál fue nuestra sorpresa cuando, a partir de un guion abierto que preparamos, comenzó a emerger una sexualidad rica y variada[117]. En el documental, una de las participantes explica cómo suele masturbarse con cuidado y deleite, comenzando, en la ducha, por acariciar todo su cuerpo mientras se enjabona. Otra detalla, entre risas compartidas, el juego sexual que tiene

---

[117] En relación con la sorpresa que genera la sexualidad de las personas con DF intelectual, resulta muy interesante el libro *Already Doing It: Intellectual Disability and Sexual Agency* (Gill, 2015) que analiza en profundidad el «capacitismo sexual» (sexual ableism) que las rodea, así como la agencia que ponen en marcha para contestarlo. Como dice el autor, las personas con DF intelectual, mientras los profesionales y familiares debaten sobre el asunto, «ya lo están haciendo» (they are alredy doing it).

con su pareja cuando le acerca la rodilla y le roza los genitales.

Como explica Siebers (2012), la idea de qué es la sexualidad y qué prácticas son aceptables es en sí misma capacitista. En esta línea, que plantea que las personas con DF constituyen una «minoría sexual», se podría plantear si también tienen una «cultura sexual», basada en códigos de relación, seducción y erotización propios. En la investigación de Ingrid Ruiz (2022) con personas amputadas, seguramente facilitado porque la autora comparte la condición de amputación de sus participantes, emergió una vivencia afirmativa en torno a la sexualidad, en la que esta constituía una parte fundamental de la vida. Los muñones, normalizados a través de las prótesis en el espacio público, se volvían parte del juego erótico en la habitación.

> «Camila: "yo con mi muñón juego con su polla, y siempre intento para que se le ponga dura y le juego y eso. Entonces un día estábamos así y no se lo hice y me dijo "mami, el muñoncito" [...] Se acostumbró a que le hiciera este juego con mi muñón y su polla y cuando no se lo hice y me lo reclamó me hizo mucha gracia"». (Ruiz, 2022: 60)

La tesis de Siebers (2012) de minoría sexual permite leer determinadas prácticas y deseos como parte de una cultura sexual silenciada y estigmatizada por la hegemonía *capacitada*.

4.3.2. #DeliciouslyDisabled (DeliciosamenteDiscapacitadx)

> «En la sexualidad tullida no hay manual, así que podemos vivir deseos que sean realmente nuestros y placeres que no precisen la autorización de nada ni nadie». (Antonio Centeno)[118]

#DeliciousDisabled es la etiqueta que utilizaron los activistas con DF canadienses para convocar a una «orgía accesible» en la ciudad de Toronto. Con esta provocadora proclama buscaban enunciarse, de manera contundente, como sujetos sexuales y, también, «dar a conocer a las personas que no experimentan la discapacidad todas sus delicias»[119]. De esta forma, la sexualidad de las personas con DF se plantea como una oportunidad para ampliar el imaginario del deseo y renovar la práctica sexual.

En el citado documental JTVS se muestra, brevemente, una historia que no va de asistencia sexual sino que está protagonizada por Jaume e Iris, pareja sentimental y artística. Ella explica la potencia de su relación sexual, no solo a nivel de su vivencia personal sino del impacto político que conlleva romper el molde de las relaciones heterosexuales convencionales:

---

[118] https://www.eldiario.es/interferencias/diversidad-uncional-masculinidad_132_3027662.html
[119] https://www.dailymail.co.uk/news/article-3115264/People-wheelchairs-having-great-sex-better-sex-lot-people-having-Toronto-host-massive-world-orgy-disabled-people.html

«Nosotros somos importantes porque mostramos que hay otro tipo de sexualidad. A mí me han penetrado, he tenido relaciones sexuales convencionales y a mí no me han aportado. Yo no he llegado a un orgasmo con otros hombres. Y para mí la penetración no es importante. Y con Jaume no hay penetración, no puede haberla, pero yo le toco a él, yo le doy su placer, él me lo da a mí, nos lo damos mutuamente. Él llega al orgasmo y yo llego al orgasmo. A veces tenemos relaciones sexuales y ¿qué estamos haciendo? (risas compartidas entre ambos). Estamos chupándonos la oreja, el cuello y el ombligo, y estamos más que satisfechos y felices».

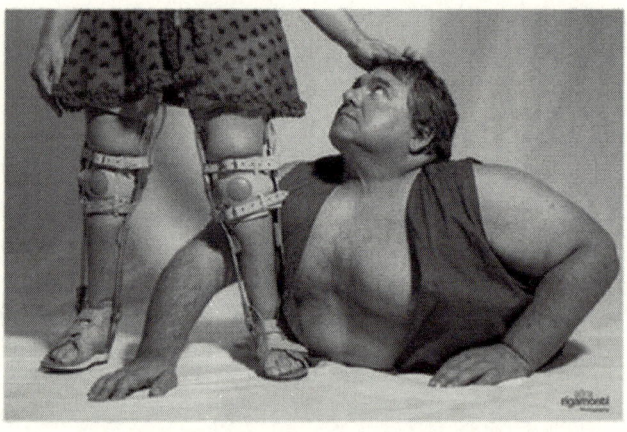

Fotografía de Iris y Jaume realizada por Afra Rigamonti para el proyecto «Vivir y otras ficciones».

En este sentido, la DF se plantea como una oportunidad para repensar la normatividad sexual que es, intrínsecamente, capacitista. De esta forma, la sexualidad de las personas con DF puede cuestionar y subvertir códigos normativos de relación sexual, como son los roles de pasividad/actividad, la noción de intimidad o el papel de elementos protésicos o funcionamientos corporales habitualmente excluidos de la práctica sexual. Concretamente, en relación con la historia de Iris y Jaume, su trasgresión de los roles habituales de relación sexual que prescribe la heterosexualidad (el cuerpo femenino como pasivo y penetrado, el cuerpo masculino como activo y penetrador) ofrece oportunidades para repensarla y configurarla de manera más igualitaria. Así acontece también en relación con los varones con lesión medular: «Esta feminización simbólica puede propiciar un acercamiento a sus parejas femeninas y la construcción de una (hetero) sexualidad distinta» (García-Santesmases, 2015: 60).

Precisamente en esta línea de intentar definir qué sería esa «(hetero)sexualidad distinta», el activista Antonio Centeno plantea:

> «La diversidad funcional supone estar fuera de ese estrecho guion pornográfico, y por lo tanto una oportunidad para construir una sexualidad más desgenitalizada (en el sentido no de prescindir de los genitales sino de desposeerlos de su categoría de centro del universo erótico), más lúdica (las prótesis, órtosis y demás apa-

rataje médico pueden resignificarse para ampliar un uso ya de por sí generalizado de juguetería erótica, por ejemplo) y con más espacio para la comunicación (desde las miradas a los juegos psicológicos en general y de rol en particular)[120].

Faltan imágenes y discursos que rompan con la inercia médica y reivindiquen la diferencia no como el lugar de la *falta*, sino de la potencia. Y, en el contexto español, desde hace una década el activismo se está haciendo cargo de esta encomienda. Como se comentaba en la introducción, se produce un cambio de repertorio en que la sexualidad pasa a tener un lugar central en la agenda política del movimiento anticapacitista no solo como una reivindicación política sino como una cuestión identitaria (García-Santesmases, 2017). Aquí las denominadas «alianzas tullido-transfeministas» o «*queer-crip*» han sido claves para generar un espacio de encuentro y relación que ha llevado a ambos colectivos a cuestionar sus asunciones en torno a la sexualidad y a ampliar sus imaginarios y prácticas eróticas (García-Santesmases et al., 2017).

Especialmente interesante y trasgresora ha sido la producción fílmica *queer-crip* de los últimos años que se sitúa en el ámbito postpornográfico, aquel que busca auto-producir imágenes sexualmente explícitas que cuestionen los roles de género, sexualidad y de-

---

[120]   https://www.eldiario.es/interferencias/diversidad-uncional-masculinidad_132_3027662.html

seabilidad convencionales[121]. La conexión con el activismo anticapacitista ha llevado al movimiento postporno a interesarse por incluir la *dis/capacidad* como una oportunidad para ampliar el marco del deseo. Como explica Majo, del colectivo Post.Op, en el documental *Yes, we fuck!*, «no es lo que el postporno puede hacer por la diversidad funcional sino lo que la diversidad funcional puede hacer por el imaginario colectivo».

Imagen promocional del documental *Yes, we fuck!*

Precisamente, el colectivo PostOp, junto a la artista con DF Patricia Carmona, protagonizan una de las historias del corto postporno *Nexos*. El encuentro sexual filmado muestra diferentes juegos eróticos en

---

[121] Para más información sobre el desarrollo del movimiento postporno, consultar: Egaña, L. (2015): *Trincheras de carne. Una visión localizada de las prácticas postpornográficas en Barcelona*. Barcelona: Universitat Autónoma de Barcelona. (Tesis doctoral).

que se erotiza la diversidad funcional, por ejemplo, mediante la inclusión de elementos protésicos como la silla de ruedas. Y la escena culmina con la lluvia dorada que Patri activa a través del SARSS, el dispositivo intrauterino que utiliza para orinar habitualmente. De esta forma, el video finaliza con la erotización de la falta de control de esfínteres que suele resultar traumático para las personas que lo experimentan –en los itinerarios corporales aparecía, incluso, como «más difícil de sobrellevar que el no poder caminar» (García-Santesmases, 2015)–. La propia Patricia Carmona describe el proceso de mostrar pública y eróticamente funciones corporales estigmatizadas como liberador:

> «Muchas personas obviamos las partes que no sentimos, pero también son parte de nuestro cuerpo y hay que aprender a integrarlo como parte de ti, no odiarte o verlo como algo feo. (…) A mí Diana pornoterrorista me iluminó con lo de poder mearme, poder ensuciar, ¡que no solo los hombres pueden! O, por ejemplo, un espasmo hay gente a la que le gusta». (Patricia Carmona, entrevista en tesis doctoral)[122]

Las alianzas *queer-crip* o tullido-transfeministas han constituido un espacio fundamental de empoderamiento para las personas con diversidad funcional implicadas, ya que han visto cómo sus cuerpos (su apariencia, su estética, su funcionamiento) pueden ser

---

[122] Esta cita fue originalmente publicada en inglés, en el artículo: "From alliance to trust: constructing Crip-Queer intimacies" (García-Santesmases et al., 2017)

motivo de interés, valorización positiva y atracción erótica (García-Santesmases, et all, 2017). En el citado *Nexos* también se muestra una historia que transcurre en un baño adaptado de un centro comercial. Este espacio, como ya se comentó en el primer capítulo, constituye un espacio simbólico por excelencia de la desgenerización de las personas con diversidad funcional al ser presentado como un baño neutro o «sin sexo». Ahí acontece también la historia de la novela *Lectura fácil* en que la que la protagonista se enrolla con un compañero del grupo de danza integrada al que acude. El chico tiene parálisis cerebral y va en silla de ruedas, por lo que presenta espasticidad y no puede controlar con precisión sus movimientos. Este «descontrol» es parte del juego sexual, ya que es utilizado por la protagonista para lograr una penetración más placentera. Como dice el personaje «la hipertensión muscular de Ibrahim es que lo facilita todo» (Morales, 2018: 381).

En conclusión, la perspectiva *crip*, aquella que reivindica la diferencia como lugar de orgullo, permite erotizar los elementos tradicionalmente estigmatizados y plantear la DF como fuente de experimentación y gozo. Constituye, por tanto, una oportunidad para ampliar el imaginario de lo deseable y, también, de lo disfrutable.

Conclusiones

En primer lugar, es necesario señalar que la alusión a «la sexualidad de las personas con DF» resulta problemática porque la plantea como algo esencialmente diferente –a la sexualidad *capacitada* que queda velada en el terreno de lo no marcado– e internamente homogéneo. Y, precisamente, lo interesante políticamente de pensar sobre sexualidad y diversidad funcional es desvelar el sistema que subyace: cómo el capacitismo demarca ciertas sexualidades como (in)válidas e (in)deseables, e, incluso, lo que (no) es potencialmente sexualizable.

En segundo lugar, es fundamental retomar la perspectiva foucaultiana para recordar que la alusión a la sexualidad, aun cuando se trate de una sexualidad estigmatizada, no es necesariamente transgresora, mucho menos subversiva. En el caso de la diversidad funcional la narrativa que se está consolidando como hegemónica es mayoritariamente heteronormativa y capacitista. Por ello, la perspectiva feminista es imprescindible para generizar el análisis ya que, a pesar de que sobre toda la diversidad funcional pesa el mantra de la indeseabilidad, los varones se posicionan más fácilmente, y así les posiciona también el entorno, como sujetos legítima y esperablemente deseantes.

Asimismo, una mirada anticapacitista revela que los diferentes servicios sexuales que se ofrecen específicamente para la DF, independientemente de si se definen como asistencia sexual o si provienen del mundo de la prostitución, suelen plantear su actuación como «una labor social». Utilizan un marco terapéutico y de cuidados, propio del Modelo Médico-Rehabilitador e incluso del Modelo Caritativo, que perpetúa la tesis capacitista de la «carencia» afectiva y sexual de las personas con DF. Por su parte, la propuesta de asistencia sexual de auto-erótica sí define un apoyo a la sexualidad que puede reivindicarse como un derecho porque sitúa la especificidad de la DF. No obstante, esta propuesta se basa en aplicar el Modelo Social al ámbito de la sexualidad y, en consecuencia, genera las mismas tensiones que este suscita desde una perspectiva feminista (por su concepción instrumental de los apoyos) y anticapacitista (por su negación de la vulnerabilidad y el sufrimiento).

Por último, ampliar la mirada e iluminar los «armarios» de las residencias permite desafiar y enriquecer la sexualidad normativa, y avanzar en pro de una sexualidad anticapacitista, más imaginativa y menos extenuante para todos los cuerpos.

5: UNA IDENTIDAD EN DISPUTA (LA DIFERENCIA)

> «Y, te encuentras, alimentándote del aplau-
> so y la sonrisa de los que te admiran y
> desean que sea verdad esa posibilidad de
> sobrellevar lo imposible».
> (Elena Prous, *Alegato a la pereza de lo heroico*)

Mi sobrina, llamémosla Alba, va a cumplir 5 años. Su mejor amigo, llamémoslo Gabriel, también. Gabriel nació con atrofia muscular espinal, una enfermedad degenerativa que, como consecuencia del deterioro progresivo de los músculos, genera que el cuerpo se atrofie, las funciones básicas (comer, tragar, respirar) se dificulten y, por tanto, la esperanza de vida sea muy corta. El diagnóstico de Gabriel fue, y continúa siendo, devastador para la familia y el entorno. Para Gabriel, aún no lo sabemos con certeza. No sabemos qué significa para él haber nacido con una etiqueta diagnóstica aterradora, ni con una corporalidad que es vivida por su contexto desde el temor y la desesperanza.

Durante estos años, Gabriel ha recibido el mejor tratamiento médico posible y todos los extras de rehabilitación y fisioterapia al alcance de su familia. La preocupación por su salud es omnipresente y constante, pero también por su estado emocional y por su socialización. Los adultos temen que le aíslen y discriminen. Cuando Alba y Gabriel comenzaron a relacionarse, ambos eran bebés que apenas se movían y, evidentemente, no hablaban. Poco a poco, fueron aprendiendo a desplazarse y comunicarse, cada uno a su ritmo y a su modo. Un día, cuando tenían dos años, los adultos, sorprendidos, vieron que se arrastraban por el suelo a gran velocidad, uno junto a otro, con ayuda de los codos. Cuando les preguntaron qué hacían, Alba explicó que estaba enseñando a Gabriel a jugar a las carreras. Ella sabía que Gabriel «no podía hacer carreras» (como los demás), así que adaptaron el juego.

Siguió pasando el tiempo y Alba incorporó velocidad y destreza a sus carreras y añadió a su repertorio móvil saltos, volteretas, derrapes y demás cabriolas. El cuerpo de Gabriel, como era de esperar, a pesar de los esfuerzos ímprobos por su rehabilitación, se fue atrofiando y cuando le tocaba dar sus primeros pasos, comenzó a precisar una silla de ruedas. Al comienzo, la silla motorizada se incorporó como un juguete más que le permitía desplazarse a gran velocidad. Alba y otros amigos también querían usarla y los adultos, tenían que establecer turnos mientras les recordaban, con una sonrisa conmovida, que «Gabriel la necesitaba porque esa era su forma de caminar».

Sin embargo, poco a poco, a Gabriel dejó de resultarle divertido el juego. Alrededor de los 4 años comenzó a enunciar, alto y claro «no quiero ir en la silla, quiero caminar». Esta enunciación se hizo más contundente con el paso del tiempo y lloraba cada vez que intentaban sentarle en la silla de ruedas. Pasaron los meses y comenzó a concretar un deseo de emulación: «Quiero correr como Alba» al tiempo que se negaba, vehementemente, a ir en silla a los sitios porque «le daba vergüenza que le vieran en la silla». Parece preferir esperar a «mejorar» que es para lo que, según le explican, va cuatro días a la semana a rehabilitación. La frase «cada uno se desplaza a su manera, la tuya es en silla», repetida hasta la saciedad, no parece tranquilizar su inquietud.

Su amiga Alba también espera, pacientemente, su mejoría. Está convencida de que «pronto podrá correr» y gesta lo que ella denomina «ideas» para que esto ocurra. La última ha sido dejarle sus «zapatillas de correr» favoritas. El pasado domingo, se escondieron en una habitación e intentaron liberar los arqueados pies de Gabriel de los rígidos hierros que les sujetan e introducirlos en las zapatillas deportivas de Alba. No lo consiguieron, por lo que tuvieron que llamar a los adultos que, entre la sorpresa y la conmoción, les obligaron a abortar el plan.

La negación de Gabriel a utilizar la silla; las «ideas» y esperanzas de Alba para que camine; generan, en los adultos, tristeza infinita y resignación. Confirman sus peores certezas: *evidentemente* Gabriel quiere caminar, *evidentemente* odia ser como es. «Su condición es una tragedia, solo podemos intentar aliviarla», se repiten.

No sabemos cuánto influyen las miradas penetrantes de los adultos desconocidos cada vez que ven a Gabriel. Tampoco sabemos cuánto entendía cuando, la primera vez que fue al parque en silla de ruedas, los niños desconocidos le rodearon y preguntaron: «¿qué le pasa? ¿Está enfermo? ¿Se va a morir?». Ni siquiera podemos dilucidar si las «ideas» rehabilitadoras de Alba son las que acaban de apuntalarle como una corporalidad indeseable. Solo sabemos que, ahora, Gabriel sufre.

El sufrimiento de Gabriel ¿es un destino inexorable dada su condición? ¿Cómo saber si su deseo de caminar es fruto de un deseo individual o el producto de una socialización capacitista que, implícita y explícitamente, le trasmite «no estás bien, deberías ser de otra forma»? ¿Era el universo infantil pre-lenguaje un lugar en que su forma de estar en el mundo era bienvenida y es la comprensión del mundo adulto *capacitado* lo que genera su dolor? ¿Será factible para Gabriel, en un futuro, sobreponerse al capacitismo y politizar su condición de cuerpo *otro*? ¿Es posible imaginar, no ya que pueda revertir el estigma y reivindicar esa condición, sino que alguien voluntariamente la desee?

Este capítulo profundiza en estas cuestiones sin, por ello, pretender darles respuesta. En primer lugar, se analiza la categoría *dis/capacidad* como una atribución estigmatizadora que genera determinadas subjetividades, resistencias y reclamos. En segundo lugar, se abordan las tensiones que suscita el deseo por la corporalidad diversa, tanto cuando es de carácter sexual (*devotee*) como cuando es performativo (*pretender, wannabe, transabled*) y que desvela la norma capacitista que demarca la frontera de lo in/deseable. Por último, se apuntan algunas claves para pensar la diferencia, la identidad y su potencial político.

5.1. A vueltas con el estigma

> «Resulta más difícil salir del armario como enfermo que como maricón».
> (Bob Pop)

Bob Pop artista, periodista, cómico y escritor ha hecho de su homosexualidad motivo de creación artística y reivindicación política. Su serie autobiográfica *Maricón perdido* (2021) narra, con mucho sentido del humor, sin por ello obviar el dolor y la violencia sufrida, cómo es vivir siendo «indudablemente maricón». Para Bob Pop este apelativo ya no tiene poder injurioso. Sin embargo, cuando en su juventud le diagnosticaron EM (Esclerosis Múltiple), le fue muy difícil salir del armario del miedo y la vergüenza. Tardó 25 años en hablar públicamente de su condición. Hasta entonces, disimuló los efectos que la EM iba causando en su cuerpo. En 2018 «salió del armario» de la enfermedad y, hoy en día, es un referente en la lucha por la visibilidad de la diversidad funcional. Para Beatriz

Gimeno (2008) también hubo una diferencia significativa entre «ambos armarios»:

> «Siendo lesbiana, me costó mucho salir del armario de la discapacidad. De hecho, no conseguí salir de ese armario hasta que, gracias a las herramientas adquiridas en la lucha contra la lesbofobia, fui capaz de entender y desmontar el discurso de la discapacidad como déficit. Antes no podía hacerlo. ¿Cómo enfrentarme a algo, profundamente negativo, que me dicen que soy, pero que no siento que soy? ¿Cómo encontrar a otras personas como yo si he aprendido a ver a los demás tal y como me han enseñado, es decir, como enfermos, personas limitadas, desgraciadas? ¿Cómo empoderarme desde una posición que me inferioriza pero cuya estructura de opresión no comprendo, y ni siquiera percibo?».

El estigma capacitista es tan fuerte que resulta difícil reconocerse en la posición de otredad que es la *discapacidad*. Ese (auto)reconocimiento no está directamente relacionado con la categorización médica de la diferencia, es decir, que a mayor «gravedad» o «afectación» no tiene por qué haber un sentimiento más fuerte de identificación, pertenencia o comunidad. Tal y como explica Gimeno, es el empoderamiento y la politización lo que permiten situarse en esa identidad, no desde la tragedia de una condición física *deficiente*, sino desde el sentimiento de pertenencia a una comunidad estigmatizada.

5.1.1. *One of us* (Uno de nosotros)

> *Me casé con un enano, salerito*
> *pa jartarme de reir.*
> *Pa jartarme de reir*
> *le puse la cama en alto*
> *ole salerito y ole*
> *le puse la cama en alto, salerito*
> *y no se podía subir.*

(«Me casé con un enano», copla popular)

Freaks, obra maestra de la historia del cine, narra la historia de un circo de «rarezas humanas» de comienzos del s. XX. La película está rodada con actores reales, personas (enanas, gigantes, amputadas, siamesas) que en aquel momento vivían y trabajaban en uno de estos circos. Cuenta la leyenda que su apariencia era tan perturbadora que la película fue censurada durante años tras un par de pases en que el público, aterrado, abandonó los cines cuando solo habían transcurrido unos minutos de metraje.

La historia se centra en Hans, un hombre enano, que abandona a su pareja, una mujer que comparte su condición, porque se enamora de la atractiva trapecista que le dobla en altura y peso. Ella parece corresponderle, pero en realidad le está engañando para quedarse con su dinero. En la escena final de la película, en la boda entre el hombre diminuto y la imponente acróbata, el resto de personajes circenses entona un cántico de bienvenida: "she will become one of us, one of us" («ella se volverá uno de nosotros, uno de nosotros»). Cantan al unísono y beben todos de la misma copa. Cuando se le acercan, ella los mira aterrada, se levanta de la mesa nupcial y arroja la copa mientras les grita: "freaaaaks!".

Cartel de la película *Freaks*

El temor de la acróbata a pertenecer a la comunidad monstruosa está muy presente en el imaginario popular cuando se dice que lo más importante «es que haya salud» o el manido «yo preferiría morir a estar así». Ese *así* es amplio, puede referir el desplazarse en silla de ruedas o no controlar los esfínteres, pero también es muy popular en relación con afecciones que se consideran propias de la vejez como la pérdida de memoria o la desorientación. No es de extrañar, en consecuencia, que las personas que reciben un diagnóstico o que experimentan un cambio corporal como consecuencia de un accidente, piensen, inicialmente, su nueva condición como invivible. No se trata (solo) de la diferencia funcional sino del estigma que conlleva.

Hay determinados cuerpos que el sociólogo Erving Goffman (2010) denomina «estigmatizados» ya que son poseedores de un signo o atributo caracterizado como negativo y generador de una identidad social menospreciada. Por tanto, el estigma no es solo un rasgo corporal o el generador de un rol social, sino que constituye un marcador identitario, un atributo dominante al que se someten el resto de funciones sociales. Según Goffmann (2010), el proceso difiere entre las personas que han nacido con el estigma y aquellas que lo han adquirido con posterioridad. En el segundo caso, la persona tiene que afrontar una devaluación de su estatus social producto de su transformación corporal, en consecuencia, tiene que aprender a gestionar una nueva identidad personal y social. La gestión de esta nueva identidad estigmatizada, asignada desde fuera y vivida, al menos en un primer momento, como una imposición, resulta dolorosa.

En el marco del proyecto *INVI – Infraestructuras para una vida independiente*[123], entre 2021 y 2022 estuve realizando trabajo de campo (observación participante y entrevistas en profundidad de carácter semiestructurado) con usuarios, familiares y profesionales relacionados con una clínica de rehabilitación de personas con lesiones medulares y neurológicas. Se estaba tramitando la Ley de Eutanasia (Ley Orgánica 3/2021), por lo que la alusión al suicidio asistido emergía repetidamente, como un fantasma que rondaba la apacible rutina post-hospitalaria. Varios participantes explicitaban en la entrevista «yo, si sigo así, prefiero morirme». No se trata de casos anecdóticos. Es habitual que, tras un accidente de extrema gravedad, una vez se comunica el diagnóstico, el paciente manifieste que «no quiere seguir viviendo».

De hecho, en el centro hospitalario vinculado a mi investigación, tras la tramitación de la Ley, se temió que todos los pacientes la solicitaran. Incluso, se reunió el comité ético del hospital para analizar ese escenario aparentemente inminente. ¿Iban a pasar de ser un centro de referencia en el tratamiento y rehabilitación de lesiones medulares y neurológicas al lugar en que dichos pacientes, una vez estabilizados y salvados, ponían voluntariamente fin a sus días?

---

[123] INVI – Infraestructuras para una vida independiente: una investigación participativa para repensar la vivienda, los cuidados y la comunidad en tiempos de pandemia (financiado por el *Pla Barcelona Ciencia. Premios de Investigación Científica en Retos Urbanos en la Ciudad de Barcelona 2020*).

Sin embargo, en contra de lo esperado, el aluvión de peticiones de suicidio asistido no llegó. Quizá porque ese *así* funciona más como una puerta de huida, un comodín de seguridad en caso de que la situación se haga *realmente insoportable,* más que como la descripción exacta de una condición corporal concreta. De hecho, entre los propios pacientes era habitual bromear sobre los que pedían la eutanasia «de boquilla» y, a la hora de la verdad, «se echaban atrás». Lo que los lesionados expresan es su pertenencia a la normalidad: ellos también piensan, o al menos enuncian, que «una vida así no merece la pena ser vivida». La alusión reiterada a lo insoportable de la situación funciona como forma de situarse en la identidad *capacitada,* es decir, en el papel de aquel que no es capaz de imaginar encarnar la *discapacidad.*

Por lo que pude ver en mi trabajo de campo, las personas recientemente lesionadas, independientemente del alcance de la lesión, no se sienten «discapacitadas» sino «personas en proceso de recuperación». De hecho, suelen preferir el diagnóstico («lesionado medular», o incluso «C5», que alude a la vértebra seccionada) que una categoría más amplia que les haga parte de una comunidad como podría ser «personas discapacitadas», «con discapacidad» o «diversidad funcional». Y esto no se debe a que los médicos les hayan dado un diagnóstico optimista que los lleve a concebirse como temporalmente lesionados (todo lo contrario) sino a que la transformación corporal no

conlleva automáticamente un cambio en la autoper-
cepción identitaria[124].

Goffman, en su análisis del estigma, establece
una diferencia basada en la visibilidad de este, propo-
niendo que aquellas personas con un estigma visible
–o conocido por los participantes de la interacción–
entrarían en la categoría de *desacreditadas*, mientras
que aquellas que tuvieran un estigma no visible –o no
conocido por los participantes de la interacción–
vivirían en la tensión de ser *desacreditables* (2010: 61).
Por ejemplo, Bob Pop explica cómo se inventaba historias pintorescas para justificar por qué, en periodos
en que cojeaba como consecuencia de un brote de EM,
utilizaba bastón. La persona estigmatizada pone en
marcha distintas estrategias de *encubrimiento del estigma*
(*passing* en inglés), como son el ocultamiento, disi-
mulo, corrección o enmascaramiento de determinados
rasgos estéticos, atributos corporales o funcionamientos orgánicos para no tener que soportar la carga social
negativa asociada al mismo.

El *passing* («pasar por», en este caso, cuerpo *capacitado*)
puede ser un ejercicio consciente o una asignación
externa ante una corporalidad que no acaba de resultar
inteligible. El *passing* permite sortear el estigma y,

---

[124] Para una reflexión más en profundidad sobre los procesos de
(des)identificación en torno a la *discapacidad* sobrevenida, consultar la tesis doctoral de Laura Sanmiquel-Molinero «El ajuste a
la discapacidad como espacio-tiempo liminal: un análisis desde los
Estudios Críticos de la Discapacidad» (2023).

encarnar, temporalmente, la posición de privilegio, aquella que no está marcada. Mientras que algunas diversidades funcionales (como la sordera o las enfermedades degenerativas), el *passing* puede ser relativamente sencillo en momentos puntuales, otras condiciones no pueden *pasar por* cuerpos *capacitados*, si bien sí pueden poner en marcha estrategias para parecer lo más *capacitados* posibles. Como explica la activista Elena Prous, «entre pléjicas también hay rangos»:

> «Si no me podía quitar la silla, la salvación y la belleza vendrían de parecer lo más parapléjica posible, una princesa en sillita. Dinámica y recta. Un "pues no pareces tetrapléjica" me aseguraba el *passing* al mundo de las normales y mirables o al menos, al de parapléjica». (*Apología de mis atrofias. Notas de una fascista a sus pulidas atrofias*).

Ese «parecer parapléjica» requería de la supervisión médica y del esfuerzo corporal constantes por detener el curso de la lesión:

> «Me confieso cómplice de una serie de intervenciones médico-fascistas sobre mi proceso de atrofiamiento (...) Las primeras obsesiones morfológicas las sufrieron mis pies y mis manos. Las terapeutas ocupacionales vendaban cada noche mis dedos a un cilindro de espuma para que no se quedaran estirados como las patas de un pato, y las enfermeras colocaban almohadas en el piecero de la cama, para que mis pies no se quedaran equinos como las pezu-

ñas de un caballo». (*Apología de mis atrofias.
Notas de una fascista a sus pulidas atrofias*).

Asimismo, hay determinadas situaciones, decisiones, comportamientos e interacciones que sitúan el cuerpo como más *discapacitados* que otras. En el itinerario corporal de Sara, que tuvo una lesión medular traumática en la adolescencia, la emulación de la normalidad era una preocupación constante. Cuando salió del hospital, pasó a precisar una silla de ruedas e intentó que este fuera el único signo visible de la diversidad funcional:

> «Mis amigos me decían "es que parece que te vayas a levantar en cualquier momento" porque claro, se me ve normal. Tengo las manos un poco deformadas pero bueno, se me ve bastante normal, me muevo bastante normal» (Sara, *Itinerario corporal*, 2013)

La alusión reiterada de Sara a «parecer normal» refiere a «no parecer *discapacitada*», es decir, no mostrar ningún rastro distintivo o prototípico de la *discapacidad*. El cuerpo que aparece como normal y natural, el cuerpo no marcado, es el *capacitado* y, en consecuencia, lo que hay que evitar es el marcaje corporal que conlleva/configura la *discapacidad*. En el caso de Sara, este esfuerzo por la normalización pasaba por rehuir el contacto con los que podrían ser sus iguales y que podían «marcarla»:

> «Me movía en taxi, que fue como una ruina para mis padres, pero bueno fue la única condición

que les puse. O sea, ellos me medio obligaron a que yo volviera a estudiar y a mí me daba mucha vergüenza y mucho reparo. Y al final les dije que sí, pero a condición de que pudiera ir en taxi porque a mí lo que me daba pánico es, era, ahora ya no, eh, pero bueno en esa edad pues sí, era tener que ir en un autobús de gente que solo lleva gente discapacitada». (Sara, *Itinerario corporal*, 2013)

No obstante, el éxito del *passing* no depende de la voluntad individual sino del contexto de interacción social. La mirada *capacitada* es la que marca el éxito o el fracaso del intento de emulación de la normatividad corporal y funcional. Uno de los participantes en el proyecto INVI, me explicaba su satisfacción con su nueva relación de pareja ya que: *Ella me dijo lo más lindo que te pueden decir «parece que andas» porque yo es que puedo hacer de todo, vamos al cine, de viaje, a cenar.* (Entrevista a Raúl, 27-10-2021). En este contexto, la frase «parece que andas» no refiere a que literalmente pareciera que la persona encarna la posición bípeda y camina con sus piernas. El «parece que andas» alude a parecer/pasar por la corporalidad *capacitada* (aquella que puede hacer todo de todo: ir al cine, viajar, ir a cenar) en tanto que posición social caracterizada por la actividad (hacer de todo), el acceso (en cualquier sitio) y la inclusión social.

El *passing* nunca es perfecto y, por tanto, el reconocimiento de la mirada *capacitada* está en entredicho, manteniendo al sujeto en una posición vulnerable, susceptible de ser «descubierto». Como teoriza la antropóloga Marta Allué:

> «Los objetos ortopédicos nos ayudan, suplen y camuflan las diferencias, las hacen más amables, pero los ojos de los otros siguen escrutando más allá, interrogantes, tanteando el estigma». (Allué, 2003: 133)

Las prácticas de *passing* siempre conllevan un riesgo. Pero hay otras posibilidades de relacionarse con el estigma.

5.1.2. *#CripPride* (OrgulloTullido)

> «Sí, queremos resaltar nuestra diferencia, porque es una realidad inherente en nuestras vidas, estamos orgullosos de ella».
> (Romañach y Lobato, 2005: 7).

Viktoria Modesta es una estrella pop, guapa, rica y famosa, como todas las cantantes que llegan a su nivel. Pero tiene una particularidad: a los 20 sufrió la amputación de su pierna izquierda. Utiliza una prótesis que es su seña identitaria como personaje público. De hecho, tiene muchas (incluso una de Swarovski) y las va variando en función de criterios estilísticos.

Más allá de los peligros de la cooptación capitalista y las lógicas del mercado musical, Viktoria transgrede algunas de las lógicas capacitistas de la representación. La famosa cantante no solo hace un ejercicio público (y, en consecuencia, político) de destape y visibilización de su prótesis, sino que en su videoclip *Prototype*, aparece en una escena totalmente desnuda: por primera vez, su amputación es evidenciada ante el público. Hasta ese momento, la apariencia de Viktoria resulta sorprendente pero no desafiante, al fin y al cabo, se trata de una chica sexy a la que la prótesis da un aire de mujer biónica, de fantasía cíborg. Pero cuando aparece su miembro amputado, la cantante pone de manifiesto que su prótesis no es un aderezo estético, sino que responde a la necesidad vital de un cuerpo vulnerable.

Viktoria Modesta

Viktoria es la representación *mainstream* de un proceso más amplio. Desde el mundo artístico y activista comienza a reivindicarse la belleza de los cuerpos diversos y de las prótesis y ortesis de las que precisan. En trabajos como los de la performer Lisa Buffano o los colectivos de danza integrada (Sins Invalid o Candocco), la diferencia funcional, estética y protésica es el motor de creación artística. En la investigación que realizamos junto a Miriam Arenas, «Tras los lienzos y las bambalinas, arte y diversidad funcional» (García-Santesmases y Arenas, 2017; Arenas y García-Santesmases, 2018), analizamos el trabajo de artistas con DF y compañías integradas en el contexto español. Y concluimos que estos espacios de creación son, también, espacios de reconciliación con el cuerpo y apropiación del estigma. Así lo expresaban, durante un grupo de discusión, algunas integrantes del colectivo de danza integrada *Liant la troca*:

> VICTORIA: Para una persona con una discapacidad desde pequeñita, como es mi caso, el tema del cuerpo ha sido un tabú, sobre todo la parte afectada. Que te toquen, que toques, enseñarlo... todo esto es duro. Y aquí yo he aprendido (...) con una cierta edad, (...), pues a cerrar los ojos y que todo el mundo te mueva. Abres los ojos, y a lo mejor estás encima de tres, allí en lo alto, y dices ¿cómo he llegado yo aquí? Y me han llevado como a una virgen, ahí toda tumbada, por los aires. En otro momento hubiera dicho «ni loca, que nadie me toque, por

favor» (…) [la danza] es arte, desinhibición y autoestima (...) Independientemente de si tienes discapacidad o no, haces unos movimientos que nunca haces. Yo siempre he caminado con muletas y con aparatos. A mí que me daba corte que la gente me tocara, no vaya a ser que noten una cosa dura. Pero yo no soy Robocop, soy humana, ¿no? Y como en la danza te quitas los aparatos y te tiras al suelo y haces cosas... como croqueta. Te mueves de tal manera, que nunca te mueves de esta manera, y dices: ¡hostia, soy capaz de hacer otras cosas! Y se me mueven otras cosas.

MERCÈ: O el quitarte la ropa, que siempre hemos estado tapando las cicatrices, las deformidades... y en cambio aquí, te quitas el pantalón, te quitas esto, sin darle más importancia. Yo tengo una edad y hasta ahora, pues intentaba disimular o no enseñar...[125]

Otro de los bailarines, Jaume, explicaba que el uso de sus brazos como forma de desplazamiento por el espacio había sido un «trauma infantil», algo vergonzante y que nunca hacía en público. La danza le permite visibilizar y reivindicar ese movimiento:

---

[125] Los fragmentos de entrevistas y grupos de discusión, con relación al arte y la diversidad funcional, fueron originalmente publicados en: Arenas Conejo, M. y García-Santesmases, A. (2018). «¿Puede ir Hamlet en silla de ruedas? Cuerpos diversos y creación artística», en Bretones, E. y Pié, A. *Cuerpos de la educación social*. Barcelona: UOC, 61-90. ISBN 978-84-9180-102-3

> «La silla de ruedas la cogí ya bastante mayor. De pequeño, por casa me movía caminando con las manos. Por eso tengo los brazos como piernas. (…) pero luego era incapaz de salir a la calle y que alguien me viera caminar con las manos. Era un trauma para mí. Entonces, este mundo (la danza) me ha permitido tener gente delante que me está mirando y yo estoy en el suelo»
> (Jaume, grupo de discusión *Liant la Troca*)

En este sentido, al igual que en la historia del campamento de Jened que narra el documental *Crip Camp*, los espacios entre iguales pueden constituir refugios de apoyo y empoderamiento colectivo. No obstante, estos espacios, si no están politizados, pueden convertirse en guetos, lugares de segregación que son vividos desde la vergüenza y el rechazo. Entre los propios activistas con DF es habitual explicar cómo, en el periodo previo a la politización, solían rehuir el contacto con los semejantes. La vivencia de la diferencia corporal o funcional, por tanto, no depende tanto de su definición médica ni de su afectación «objetiva» sino del contexto de (im)posibilidad en que esta se desarrolle, que puede llevar a perpetuar la vergüenza y el estigma o a construir una subjetivación positiva.

En el contexto español, desde hace poco más de una década, la politización de la *discapacidad* está alcanzando el ámbito corporal. Miriam Arenas y Asun Pié (2014) sitúan un punto de inflexión en el 15-M, durante el que surgieron las Comisiones de Diversidad Funcional en Madrid y Barcelona:

«El significado de los cuerpos con diversidad funcional puede verse modificado a partir de otras formas de poner el cuerpo en lo común. Y justamente esto es lo que aconteció en la plaza (el cuerpo con diversidad funcional como resistente al ponerse en primera fila en las movilizaciones, como cuerpo golpeado por las fuerzas policiales, como cuerpo alegre al celebrar su diversidad visiblemente, como cuerpo narrado y crítico al participar activamente en debates públicos...)». (Arenas y Pié, 2014: 241).

Otra forma de politizar la experiencia corporal y expropiarla del ámbito médico es el diseño, hackeo y autoproducción de las prótesis y órtesis. El proyecto «En torno a la silla» es un ejemplo en este sentido: promueve el diseño libre de productos de apoyo adaptados, fuera de las lógicas estandarizadas y mercantilizadas que rigen la industria ortopédica[126]. En la misma línea, en la investigación de Ingrid Ruiz (2022) se alude una ortopedia llevada por personas amputadas que parten de su experiencia para elegir y aconsejar sobre los productos que ofertan. La autora explica que mientras que en las ortopedias ordinarias los clientes suelen ser atendidos de forma individual y privada –por ejemplo, se prueban la prótesis en un

---

[126] Para más información sobre este proyecto y su relación con la politización de la *discapacidad* y la reivindicación de la vida independiente, consultar: Sánchez, T., Rodríguez-Giralt, I., y Mencaroni, A. (2016): "Care in the (critical) making. Open prototyping, or the radicalisation of independent-living politics". *ALTER, European Journal of Disability Research*, 10(1), 24–39.

vestuario individual y solo el vendedor comprueba que funciona– en esta, las personas prueban y testean colectivamente, frente a los vendedores y resto de clientes que también opinan y aconsejan.

Los espacios de apoyo entre iguales son fundamentales, pero también resultan clave, para la politización de una condición estigmatizada, la autoenunciación. La reivindicación del FVID de utilizar el término diversidad funcional ha sido clave en este sentido ya que ha permitido, desde la enunciación en primera persona, promover un término que no acarrea una connotación negativa y que da pie a comenzar a reapropiarse del estigma de términos tradicionalmente injuriosos, como *cojo* o *tullido*[127]. El cambio de terminología va aparejado no ya a un intento de desactivar el estigma, sino a la reivindicación pública del orgullo de la diferencia. De hecho, la histórica Marcha por la Visibilidad de la Diversidad funcional, que cada septiembre promueve el FVID, cambió su nombre el pasado 2019 por el de «Orgullo diverso». También en el contexto internacional la idea del orgullo está cada vez más presente y julio es el mes en que se reivindica el *Disability Pride* (Orgullo Discapacitado).

---

[127] Para profundizar en esta genealogía, se puede consultar: «CRIP, WHAT?? Enunciaciones, tensiones y apropiaciones en torno a la reivindicación de lo tullido en el contexto español», García-Santesmases Fernández, 2020.

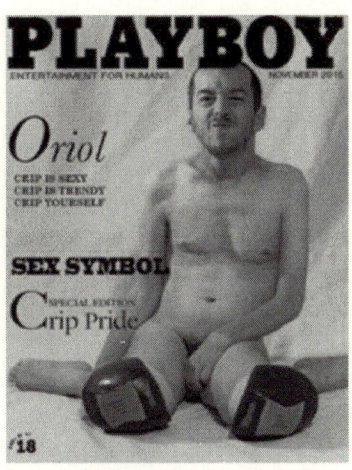

Fotografía de Afra Rigamonti para el proyecto
«Vivir y otras ficciones».

En el contexto español, este proceso de politización
radical de la diferencia ha ido vinculado a las alianzas
«*queer-crip*» o «tullido transfeministas» (García-Santesmases, et. al, 2017). Los activistas implicados en
este proceso, en que es clave la utilización del humor,
describen la experiencia de salir del armario, conjunta
y públicamente, como liberadora.

> «Hay algo muy festivo de celebración de esa
> condición marginal como un acto subversivo
> que es muy potente. No es solo que no nos
> fastidie que nos veáis como nos veis, sino que
> lo celebramos, y eso es lo que más me interesa».
> (María Oliver, entrevista tesis doctoral, 2014).

Este activismo no sirve solo para empoderar a las personas implicadas sino para crear un contexto de posibilidad más amplio, en que otras corporalidades y funcionalidades sean bienvenidas. Así lo demuestra la experiencia de Nico, uno de los participantes del proyecto INVI. Hace 10 años, cuando tenía 22, tuvo un accidente de moto que le dejó graves secuelas. Estuvo un mes en coma. Cuando despertó no podía moverse ni hablar. Durante el año de hospitalización, Nico se comunicó a través de un soporte de apoyo ya que solo podía mover las pupilas. Cuando le conocí, había recuperado una parte significativa de la movilidad y, aunque costaba entenderle y precisaba frecuentemente de su dispositivo CAA (un alfabeto impreso que tenía pegado en el reposabrazos de la silla), era posible la comunicación oral.

Nico vivía en un equipamiento adaptado, de pisos independientes, pero con servicios comunes de asistencia, para personas con necesidades de apoyo similares a la suya. La primera vez que nos vimos, en su piso en septiembre de 2021, Nico me contó que se encontraba aislado ya que no tenía un vínculo estrecho con su familia, no conservaba amigos de antes del accidente y tampoco había generado vínculos más allá de la vecindad con el resto de los usuarios del equipamiento. Nos vimos varias veces durante los meses del trabajo de campo y su situación apenas varió.

Cuando a finales de abril de 2022 fui a despedirme porque mi investigación había concluido, me contó cómo «su vida había cambiado». Su actitud, desde que entré por la puerta, era otra, me dio un abrazo como saludo y se empeñó en preparar café y sacar galletas. Cuando nos sentamos a conversar y le pregunté qué tal estaba, se le humedecieron los ojos. Pensé que estaba triste. Todo lo contrario. Me contó que había comenzado a acudir a los talleres de danza integrada que se organizan semanalmente en Barcelona. También había ido a varias de las «fiestas diversas» que organiza el activismo «tullido» y me contó que allí «todo el mundo era bienvenido», «cada uno podía ser como quisiera» y había conocido gente estupenda. Me explicó que las lágrimas eran de rabia «por todo lo que no había vivido estos años, por todo lo que se había perdido».

La historia de Nico muestra cómo, a partir de la socialización y el encuentro con los iguales, puede transformarse no solo la subjetivación de la condición sino la proyección del valor de la vida: de una vida desechable a una vida que no se quiere desaprovechar.

5.2. *Devotees*, deseos abyectos

5.2.1. *El cuerpo* discapacitado *como fetiche sexual*

«Sus brazos fuertes y piernas flácidas me parecían fascinantes y atractivas (...) si hubiera dos mujeres con las mismas virtudes, una con discapacidad y otra sin ella, posiblemente escogería a la que tenga una discapacidad». (*¿Qué siente un "devotee"?*)[128]

El desnudo de Viktoria Modesta en *Prototype*, único momento en que su muñón queda expuesto, acontece en una cama en que se besa y acaricia con otra persona. Su cuerpo amputado se presenta como un cuerpo erotizado, deseable y, de facto, deseado. Al final de la breve escena, Viktoria se incorpora y mira fijamente a la cámara. Sus ojos afirman: *I am sexy and I know it!*

El deseo sexual que genera Viktoria podría interpretarse como un «a pesar de» la amputación, es decir, «es tan guapa que no importa que sea amputada». Este es uno de los marcos de inteligibilidad del deseo por los cuerpos diversos, el considerar que se trata de un deseo que logra desarrollarse ignorando o sobreponiéndose a lo que se considera un déficit. Incluso, en ocasiones, se plantea como un deseo extracorpóreo en que lo que atraería es la persona independientemente de su corporalidad. Se materializa en frases como «yo no veo la silla de ruedas, veo a la persona». Fiona Campell compara este discurso con el que utilizan los hombres que tienen sexo con hombres, o incluso parejas masculinas mientras afirman: «No soy gay, me siento atraído por una persona maravillosa que resulta ser un hombre»[129] (Campell, 2009:183, traducción propia).

---

[128] https://www.elsaltodiario.com/recapacitando/que-siente-un-devotee
[129] "I am not gay I am attracted to a wonderful person who just happens to be male".

No obstante, también existe el discurso antagónico, aunque minoritario, «es precisamente por» (la amputación, la silla de ruedas, etc.) lo que acontece ese deseo. Es decir, Viktoria no sería atractiva *a pesar de* estar amputada, sino *más* aún por estarlo. La atracción específica por la corporalidad diversa ha existido siempre y, en general, se considera un gusto morboso, incluso parafílico (concretamente, la atracción específica por personas amputadas se denomina *acrotomophilia*).

No es de extrañar, por tanto, que las personas que la experimentan, comúnmente denominadas *devotees* («devotos» en castellano), suelan vivirla en secreto, sentirse culpables por su deseo e intentar reprimirlo. Tal y como analizamos en *Wannabes, pretenders y devotees: el deseo de los monstruos* (García-Santesmases y Centeno, 2015), los pocos productos audiovisuales que tratan el tema lo plantean contribuyendo a su patologización como un tipo de atracción sexual inapropiada, desagradable y objetualizadora. La película *Devotee* (2008) narra la cita entre un hombre amputado y un joven *devotee*. El deseo del joven se muestra como obsesivo y parafílico, ya que solo le interesa y solo obtiene placer a partir de los muñones. En consecuencia, el hombre amputado se siente ofendido y «utilizado». Terminan discutiendo y le reprocha ser un «verdadero *devotee*».

Internet ha dado una vía de escape y esparcimiento al mundo *devotee*: en la red pueden encontrarse multitud de webs y foros de intercambio de información, testimonios e imágenes eróticas y pornográficas de personas con DF. De la misma manera que la homosexualidad estuvo condenada durante años a vivir dentro del armario, el deseo *devotee* es relegado en la actualidad al anonimato virtual. Para el proyecto documental *Yes, we fuck!* se intentó grabar una historia que abordara esta temática. Aunque no se consiguió que ninguna persona se mostrara públicamente como *devotee*, un hombre que se identifica con esta etiqueta envió un post explicando su testimonio. La identificación de su deseo, tal y como es habitual en estos casos, comienza en la niñez, pero es cuando entra en contacto con la red cuando le pone nombre e imagen:

> «A medida que fui indagando por Internet sobre las personas amputadas y las prótesis empecé a descubrir que me excitaban sexualmente las imágenes de las mujeres amputadas y que existe todo un mundo de fetichismo sobre el tema (...). En un principio solo me atraían las mujeres amputadas, pero, en algún momento, no sé cómo "descubrí" las mujeres parapléjicas y tetrapléjicas. Estas todavía me fascinaron más, y me excitaron muchísimo más que las amputadas»[130].

A través de Internet establece los primeros contactos y concierta una cita con una mujer parapléjica.

---

[130] https://yeswefuck-blog.tumblr.com/post/103462962354/una-experiencia-devotee

«Entró y nos saludamos. Había un silencio intenso, ella en su silla de ruedas y yo sentado en la cama. Con la voz temblorosa le pedí si podía tocarle las piernas y ella me dijo que sí, que para eso había venido a mi habitación. Me puse sus piernas encima y las acaricié suavemente. Estaban frías y la piel era finísima, muy blanda y muy agradable al tacto. Y lo mejor de todo es que tenía un poco de espasmos. (...) La contemplé, desnuda en su silla de ruedas. Era la mujer más perfecta que había visto nunca. Silla de ruedas manual, piernas delgadas, muslos anchos y blandos, un poco de barriga (por el nivel de la lesión), pechos del color de la tierra con los pezones duros y una cara morena con una sonrisa blanca; espectacular».

Este relato evidencia la atracción específica que siente el autor por determinados rasgos corporales propios de la lesión medular. No es el único. Las representaciones de la atracción *devotee* están mayoritariamente protagonizadas por hombres heterosexuales *capacitados* que desean a mujeres *discapacitadas* con un tipo de corporalidad muy específica, normalmente amputadas. Pero la definición estrecha del deseo no parece un rasgo definitorio de lo *devotee*. En la sociedad actual, hiperconectada e hipersexualizada que ofrece un catálogo infinito de posibilidades mediante las que expresar, reinventar e incluso satisfacer los deseos, no es extraño que una persona exprese su preferencia hacia un tipo de cuerpos y/o prácticas eróticas muy concretas. De hecho, hay una industria sexual que se alimenta de esta proliferación e individualización de deseos y demandas sexuales. Por tanto, la objetualización del cuerpo diverso no distaría mucho de la objetualización general que sufre el cuerpo femenino y la fetichización del muñón podría ser análoga a la de los pechos grandes. Así pues, ¿qué es lo que genera el estigma y la vergüenza sobre el deseo *devotee*?

En el documental de la BBC *Meet the Devotees: The People Turned on by Disability* (*Conoce a los devotos: las personas que se excitan con la discapacidad*) (2016)[131], la protagonista, la periodista Emily Yates, se enfrenta a estas cuestiones. Se pregunta quiénes son los *devotees*, en qué se basa su atracción y cómo se siente ella, una mujer con parálisis cerebral que utiliza silla de ruedas, con relación a ese deseo. Para documentarse, primero, entrevista a una actriz porno que, tras quedarse parapléjica, tuvo que modificar su performance habitual: su público había cambiado y ya no deseaba verla imitando las típicas poses sexuales, sino que ahora la demandaban que mostrara su «incapacidad». Sus videos más exitosos son aquellos en que se esfuerza por hacer una transferencia de la cama a la silla, arrastrarse por el suelo para alcanzar algo o bajar escaleras con ayuda de los brazos. Como explica la actriz, pasó de los videos en que simulaba excitarse mientras gemía «oh, sí» a los videos en que muestra cansancio y esfuerzo mientras resopla afirmando «uf,

---

[131] https://www.imdb.com/title/tt6452482/

esto es muy difícil». A la mirada *devotee* es precisamente esa lucha (*struggle* en inglés) lo que le excita.

El documental también muestra entrevistas con personas, mayoritariamente hombres, que se identifican como *devotees* y que intentan combatir el estigma (aunque sus testimonios permanecen anonimizados) afirmando que lo que ven es sensualidad y belleza en el cuerpo diverso. La periodista intenta mirar el fenómeno sin prejuicios y decide protagonizar un video. Antes de filmarlo, pregunta a la comunidad *devotee* online qué querrían ver y responden señalando detalles de su funcionamiento corporal que enfatizan su diferencia. Emily se conmociona, seguramente más de lo que ella misma espera, y se le saltan las lágrimas al constatar que «esa gente se excita con las dificultades con las que ella tiene que lidiar en el día a día».

Sin embargo, sigue adelante con el proyecto audiovisual. Se maquilla y viste para la ocasión, afirmando que lo hace «por ella misma», ya que sus espectadores «no apreciarán esos detalles» de coquetería femenina, sino que «lo que quieren ver» (la cámara enfoca hacia abajo) «es eso» (primer plano de sus pies curvados). Graba un video breve en que se desplaza en silla de ruedas hasta su coche y ahí hace una transferencia para sentarse en el asiento del vehículo. Expresa su sorpresa no ya porque alguien puede interesarse por ver eso, sino excitarse haciéndolo. Pero así es, en pocas horas el video es visto por miles de personas.

El documental también muestra la parte más oscura de la comunidad *devotee* online por la que circulan miles de imágenes tomadas sin consentimiento e información personal robada de cuentas personales de mujeres con DF. De hecho, entre estas mujeres es habitual la prevención ante este peligro y la alerta no solo sobre los *devotees* que navegan por la red, sino sobre potenciales amantes o parejas que son «*devotees* escondidos». Una de las mujeres acosadas y entrevistadas en el documental compara esta persecución con el acoso pedófilo (comparación recurrente cuando se discute esta temática), afirmando que son «depredadores sexuales» que atacan a «los más vulnerables».

No obstante, ¿es el deseo *devotee* esencialmente deshumanizador y amenazante? ¿Es la comparación con la pedofilia acertada para resaltar la dinámica de poder que subyace a la relación entre el cuerpo-sujeto *capacitado* y el *discapacitado* o es una forma infantilizadora de situar la sexualidad en relación con la diversidad funcional? ¿Qué papel juega el marco patriarcal y capacitista a la hora de expresar y codificar el deseo por el cuerpo diverso?

5.2.2. Una mirada feminista y anticapacitista al «fetiche»

> «Cuando la discapacidad y el deseo se aproximan, la pregunta "¿qué es lo que excita e incita?", precisa ser invocada».[132]
>
> (Campbell, 2009: 170)

La articulación violenta del deseo *devotee*, aquella que pasa por el acoso y el abuso de mujeres con DF, es evidentemente delictiva. Sin embargo, no dista, en esencia, de la articulación violenta del deseo heterosexual más amplio que se produce a través de la objetualización, sexualización y denigración de lo femenino. Las mujeres se socializan bajo esta mirada patriarcal que regula, y muchas veces fetichiza, su cuerpo. Por ejemplo, en el artículo «¿Parafilia o fetiche? La desconocida devoción por las personas con discapacidad» la autora, una mujer en silla de ruedas, acusa a los *devotees* de «utilizar todo tipo de trucos» como:

> «He recibido mensajes de todo tipo, desde el que me pide que le envíe un vídeo poniéndome calcetines, hasta el que intenta engañarme vendiendo anillos para pies, pidiendo previamente una foto de ellos para poder deducir la talla correcta»[133].

---

[132] "When disability and desire are placed in close proximity, the question of 'what is excited and incited?' needs to be invoked."

[133] https://www.elsaltodiario.com/recapacitando/parafilia-o-fetiche-la-desconocida-devocion-por-las-personas-con-discapacidad

Este tipo de artimañas para lograr información personal y, sobre todo, imágenes de mujeres con DF parece ser habitual en el comportamiento *devotee*. En la citada investigación sobre la sexualidad de personas amputadas (Ruiz, 2022), las entrevistadas, sobre todo las más jóvenes, relataban que era frecuente que hombres desconocidos, a través de redes sociales, las contactasen y pidiesen imágenes de sus cuerpos, concretamente de sus muñones, así como que recurriesen a mentiras y engaños para lograrlas. No obstante, ¿es este tipo de acoso esencialmente diferente al que sufren las mujeres *capacitadas*? ¿O cambia la forma (se piden imágenes de piernas amputadas en lugar de piernas torneadas) pero no el fondo (hombres heterosexuales fetichizando a mujeres)?

Las mujeres crecen, y esta es una pauta de socialización femenina y feminizadora esencial, sabiéndose vulnerables ante la violencia masculina, concretamente sabiéndose susceptibles de sufrir violencia sexual. Y la prevención y temor ante esta violencia, como explica la politóloga Nerea Barjola (2018), genera un régimen de terror que alerta sobre determinados peligros promoviendo, para mitigarlos, la limitación y supervisión de las conductas y experiencias femeninas, coartando la libertad y la posibilidad de experimentación y disfrute de las mujeres. En este sentido, el temor ante «la amenaza *devotee*» sería un ejemplo específico de cómo la amenaza de la violencia sexual constriñe la vida de las mujeres, en este caso, de aquellas con DF.

Por tanto, lo que define como perverso al deseo *devotee* no es su fijación por un rasgo corporal o funcional específico, ni su potencial articulación violenta, pues, de ser así, toda la heterosexualidad estaría condenada (y todos los hombres heterosexuales vivirían avergonzados por el comportamiento de una minoría). Lo que genera el rechazo social y la vergüenza sobre el deseo *devotee* es la trasgresión del tabú social en torno a la indeseabilidad de la *discapacidad*: el cuerpo diverso puede aceptarse desde la resignación o el estoicismo, nunca desde el deseo. En esta línea, Campbell explica que el «problema» con el deseo *devotee*:

> «no parece estar en el deseo como tal, sino en el objeto/sujeto de ese deseo, es decir, el cuerpo discapacitado. El cuerpo discapacitado, como he documentado anteriormente, se ha configurado como el lugar de la monstruosidad y lo impensable».[134] (Campbell, 2009: 198)

Y concluye que el deseo *devotee* puede contribuir a ampliar los imaginarios del deseo y poner en valor la diversidad funcional: «(los *devotees*) pueden contribuir al desarrollo de una estética positiva de la deficiencia»[135] (Campbell, 2009: 193).

---

[134] "seems not to be with desiring as such, but the object/subject of that desire – that is the disabled body. The disabled body as I have previously documented has been configured as the site of monstrosity and unthinkability."

[135] "have anything to contribute towards the development of a positive ascetic of impairment."

En este sentido, el deseo *devotee* atenta contra las raíces del capacitismo porque no se limita a erotizar una diferencia estética o una corporalidad diversa, sino que incluye algo fuera del imaginario de lo deseable: la incapacidad, la dependencia. En esta línea, es interesante reflexionar sobre otros deseos hacia el cuerpo diverso que no son codificados como *devotee* pero que, igualmente, pasan por una atracción especifica por la dependencia, aun cuando está sublimada.

En primer lugar, pareciera que la atracción *devotee* siempre se genera, de manera unidireccional, del sujeto *capacitado* al *discapacitado*. Seguramente, porque es lo que resulta perturbador a la mirada capacitista. Sin embargo, nada hace pensar que sea un tipo de orientación u atracción marcada por la no experiencia corporal de la *discapacidad*. Lo que ocurre es que cuando una persona con DF desea a otra en su misma condición, o similar, este deseo resulta más legible tanto para las personas implicadas como para el entorno, por lo que el estigma y la alerta capacitistas son menores.

En segundo lugar, lo *devotee* aparece protagonizado y reivindicado de manera mayoritaria por hombres, sobre todo heterosexuales. Y, quizás, esto no tiene tanto que ver con una distribución esencialmente diferencial de esta orientación del deseo, sino con los marcos de legibilidad y enunciación de la misma. Como se explicó en el capítulo de sexualidad a propósito del análisis de Katherine Angel sobre el

consentimiento sexual[136], los varones son más pro-
clives a definir y explicitar su deseo de manera clara y
concreta. Por su parte, el deseo femenino no suele
cursar con la objetualización de un tipo de corporalidad específica ni, en el caso de la heterosexualidad, la
fetichización del cuerpo masculino. Por ello, cuando
mujeres *capacitadas* se sienten atraídas por hombres
discapacitados, el marco de inteligibilidad de este deseo
para su entorno y para ellas mismas ya no es el de
objetualización y denigración del cuerpo *discapacitado*,
sino principalmente el de su soporte y cuidado. Lo que
desearían estas mujeres no es *dominar*, sino *cuidar*. Y
ese rol de abnegación y sacrificio sí que resulta legible
y obtiene reconocimiento social.

> «Para las mujeres que se sienten atraídas por
> hombres con amputación existen roles heroi-
> cos, por ejemplo, el de un instinto maternal que
> conduce a una vida dedicada al cuidado del
> hombre con discapacidad»[137]. (Solvang, 2007: 60)

Por tanto, el género es el que codifica el deseo, le
da una vía de expresión y comprensión, asimismo
limita lo decible y lo imaginable. Se podría aventurar,
entonces, que no es que el deseo *devotee* sea exclusivamente *capacitado*, masculino y heterosexual, sino
que se codifica como tal por los marcos de inteligi-

---

[136] Angel, K. (2021): *El buen sexo mañana. Mujer y deseo en la era del
consentimiento*. Ediciones Alpha Decay, S.A.
[137] "For women attracted to men with amputation more heroic
roles are available, i.e., that of a mothering instinct leading to a life
in caring for the man with disability."

bilidad vigentes. De la misma forma, el deseo masculino de acompañamiento, soporte y escucha, el deseo de cuidar y acompañar el cuerpo desprotegido y carente, no tiene muchas vías de expresión, pero no quiere decir que no exista. En el libro *Desmorir* de la profesora estadounidense Anne Boyer, sobre su experiencia como paciente de cáncer de mama, explica que hay hombres que se le acercan a ella durante ese periodo atraídos por su condición de enferma. La autora los denomina *cancer daddies*.

> «Un hombre al que conocí en un bar ha decidido dedicarse en cuerpo y alma a cuidarme. Su entusiasmo por mi vulnerabilidad es tal que tengo que bloquear su número en mi teléfono. Mis amigos y yo a veces bromeamos sobre *cazacánceres* o *cancer daddies* con CDs llenos de canciones lentas, los regalos que aparecen en la puerta, los arranques de caballerosidad suscitada por la enfermedad, los curiosos intentos de seducción». (Boyer, 2021: 108)

En conclusión, más que un deseo fetichizante, intrínsecamente deshumanizador, lo que hay son unos códigos, generizados y capacitistas, de comprensión y expresión del deseo, en este caso, por el cuerpo diverso. Por tanto, el principal riesgo del devoteismo reside en situarlo como la única forma inteligible de conceptualizar la atracción hacia un cuerpo diverso, generando un clima de sospecha sobre la atracción por las personas con DF y limitando las posibilidades de disfrute para todas las partes implicadas.

5.3. Wannabes y pretenders, tránsitos abyectos

«Olvida todo lo que sabes sobre discapacidad».[138]
(Viktoria Modesta, *Prototype*)

El videoclip *Prototype* proyecta el cuerpo diverso no solo como motivo de atracción y orgullo sino de emulación. En la primera escena, Viktoria aparece transformada en un dibujo animado, una superheroína a la que una niña contempla extasiada por TV. La niña arranca la pierna a su muñeca para que esté amputada como Viktoria y se dibuja a sí misma sin una extremidad inferior. Cuando la madre descubre el dibujo, mira a su hija espantada y se lo arranca y lo rompe. Pero la niña no está sola, es parte de un grupo de seguidores que, en secreto, adoran a Viktoria y desean ser como ella. Son *wannabes*, *transabled*, *pretenders* y *admirers* de la *discapacidad*, personas que proyectan deseos abyectos y encarnaciones ininteligibles.

5.3.1. El cuerpo equivocado

«Yo no soy una *wannabe*, yo soy una paralítica encerrada en un cuerpo que puede caminar».

(*Quid Pro Quo*)[139]

---

[138] *"Forget what you know about disability."*

[139] Las citas de películas y documentales aquí recogidas se publicaron originalmente en: García-Santesmases Fernández, A. y Centeno Ortiz, A. (2015): «*Wannabes, pretenders y devotees*: el deseo

Hay personas que sienten la imperiosa necesidad de *discapacitar* sus cuerpos, de pasar de ser cuerpos *capacitados* a cuerpos *discapacitados*. Este deseo suele causarles vergüenza y sufrimiento, ya que no resulta inteligible para la sociedad ni para las propias personas que lo experimentan. Como se apuntaba en la introducción del libro, el cuerpo *discapacitado* solo puede concebirse como castigo o resignación, nunca como deseo o preferencia. He ahí la perturbación, cuando no indignación, que generan las demandas de estas personas, como Chloe Jennings-White, comúnmente denominadas *wannabes* o, más recientemente, *transabled*. La etiqueta diagnóstica que reciben es la de estar aquejados por un trastorno de la identidad de la integridad corporal (Body Identity Integrity Disorder, BIID). No obstante, no se conoce tratamiento psicológico o farmacológico exitoso para curar dicho «trastorno».

Los medios de comunicación y la industria cultural comienzan a interesarse por estos casos[140], que se recrean habitualmente entre el morbo y el prejuicio. Aquellos productos culturales que intentan ser más rigurosos y hacer un esfuerzo de humanización de la condición *wannabe*, tienden a explicarla

---

de los monstruos» en Pié y Planella *Políticas, prácticas y pedagogías Trans.* Barcelona: UOC, 105-118. ISBN: 978-84-9064-741-7

[140] Para un análisis más detenido de la representación mediática y cultural de lo *wannabe/transabled*, puede consultarse García-Santesmases y Centeno (2015) –en el que también analizamos lo *devotee* y lo *pretender*– o Hurtado (2015), que se centra en lo *wannabe/transabled*.

recurriendo a la idea del «cuerpo equivocado». Por ejemplo, es habitual que los personajes *transabled* definan los miembros que quieren amputarse como extraños a su corporalidad, como elementos que les son ajenos e insoportables. En *Armless,* cuando preguntan al protagonista «¿cuál es el problema con tus brazos?», él responde de forma contundente «están». Y en el documental *Complete Obsession* (cuyo título remite a que las personas *transabled* afirman que estarán «completas» cuando modifiquen su cuerpo), una de las entrevistadas precisa:

> «no es que me quiera morir, pero es que siento que mis piernas no me pertenecen y no puedo soportarlo, a veces preferiría morir que vivir en un cuerpo que no siento como mío».

En la película *Quid Pro Quo* se alude a un cuerpo *discapacitado* encerrado en un cuerpo *capacitado* cuando el personaje afirma «yo no soy una *wannabe,* yo soy una paralítica encerrada en un cuerpo que puede caminar». La alusión al «cuerpo equivocado» sirve para construir una analogía con la transexualidad, analogía cada vez más recurrente en el discurso médico para justificar las intervenciones demandadas por personas *transabled*[141].

---

[141] «Los expertos del ámbito médico –psiquiatras y cirujanos– que aparecen en los documentales, llegan a justificar las amputaciones tras asumir que los tratamientos psicológicos y farmacológicos no sirven para eliminar el deseo *wannabe.* El cirujano de *Complete Obsession* explica que, tras un primer momento de desconcierto ante la demanda *wannabe,* posteriormente pensó que no era tan diferente del deseo de cambio corporal que expresan las personas transe-

La antropóloga Inmaculada Hurtado (2015), en su trabajo «Cuerpos impropios: amputaciones voluntarias y reflejos mediáticos», explica la similitud entre la transexualidad y lo *wannabe:*

> «El BIID se asemeja a uno de los modelos explicativos de la transexualidad, el trastorno de la identidad de género (Gender Identity Disorder, GID). En ambos casos el salto es el mismo: de enmarcar el trastorno desde el fetichismo sexual se ha pasado a situarlo en el campo de la identidad. Desde esta perspectiva, *wannabes* y transexuales demandan que partes sanas de su cuerpo sean eliminadas quirúrgicamente corrigiendo así la incongruencia que perciben entre cuerpo e identidad, entre su cuerpo y su imagen corporal». (Hurtado, 2015: 107-108)

Para que la analogía con la transexualidad, a partir de la metáfora del «cuerpo equivocado», resulte coherente «se precisa que las personas experimenten este deseo de cambio corporal de forma involuntaria, invariable e irremediable» (García-Santesmases y Centeno, 2015: 115) y que estén «dispuestas a someterse al tratamiento médico quirúrgico que sea necesario con tal de adaptar su físico a su imagen corporal ideal» (García-Santesmases y Centeno, 2015: 115).

---

xuales «que se amputan una parte sana del cuerpo para que este concuerde con su imagen corporal ideal». (García-Santesmases y Centeno, 2015:111)

Esta homogeneización y simplificación de las demandas *transabled* para que encajen en la narrativa del «cuerpo equivocado» es similar a la que acontece con la experiencia trans. Como explica el sociólogo Miquel Missé en *A la* conquista *del cuerpo equivocado* (2022), el discurso que se ha constituido como hegemónico en torno a la experiencia trans es esencializador e individualizante, ya que plantea que la modificación corporal es una necesidad «innata»[142]. En consecuencia, las personas trans se convierten «en un suculento nicho de mercado» (Missé, 2022: 37), cuyas cirugías «se reivindican, se celebran y se aplauden» (Missé, 2022: 137).

No obstante, parece difícil que, hoy en día, la analogía entre la transexualidad y lo *transabled* cale en el imaginario popular y la seguridad social comience a intervenir cuerpos *capacitados* para, por poner el ejemplo de la petición más frecuente, amputarles una extremidad. Resulta ininteligible esta demanda de modificación corporal extrema, que busca imposibilitar el funcionamiento normativo del cuerpo. Y es que el deseo *transabled* no se limita al deseo de poseer una apariencia estética determinada, sino al deseo de

---

[142] «Es frecuente escuchar en el discurso de muchas personas trans que ellas "no han elegido modificar su cuerpo", que es un deseo innato contra el que no se puede luchar (...). El ejemplo por excelencia que se utiliza es el que explica que si una persona trans hubiera nacido en una isla desierta habría deseado operarse igualmente. Resumiendo, que el deseo de operarse es de orden anterior a la sociedad y a la cultura». (Missé, 2018: 32)

experimentar la «incapacidad», la discriminación que lleva aparejada y el «espíritu de lucha» que requiere para sobreponerse. Es decir, las personas *wannabe* o *transabled* no solo desean un cuerpo *impaired* (biológicamente «deficiente») sino que también desean un cuerpo *disabled* (es decir, *discapacitado* por las barreras sociales). Por ejemplo, en *Quid Pro Quo*, cuando el protagonista investiga en Internet la cuestión *wannabe*, una web la describe como un «nuevo sueño americano». Y la protagonista femenina relata con satisfacción que, tras utilizar por primera vez una silla de ruedas, puso una queja por la falta de accesibilidad de un espacio público y que, a pesar de este tipo de dificultades, fue capaz de alcanzar todos los lugares que quiso.

Se podría argumentar que el deseo *wannabe* es indefendible por una cuestión «médica», ya que atenta contra la salud de la persona. Sin embargo, si el límite de lo aceptable residiera estrictamente en un criterio médico, que define lo que es (in)tocable del cuerpo, las personas que no buscan discapacitar su cuerpo, sino que «fingen» hacerlo, no serían patologizadas. *Pretender* es como se denomina a la persona que pretende tener algún tipo de diversidad funcional, por ejemplo, ir en silla de ruedas cuando puede caminar. Se trata de personas que utilizan algún tipo de prótesis o elemento ortopédico del que no precisan. Algunas, incluso, viven parte de su vida fingiendo que necesitan la prótesis, fingiendo que «realmente» son *discapacitadas*. En ocasiones, son *transabled* a la espera del cambio corporal deseado –por ejemplo, Chloe se desplaza en su día a día en silla de ruedas–, pero otras son personas que disfrutan jugando a encarnar, temporalmente, otras formas de funcionar o desplazarse.

El deseo *pretender*, al igual que el *wannabe*, es ininteligible en una sociedad capacitista: ¿cómo iba un cuerpo autónomo a preferir vivir como dependiente? ¿Cómo puede elegirse la diversidad funcional frente a la normatividad funcional? ¿Cómo se puede, siquiera, fingir?

El rechazo por lo *wannabe* y *pretender* se basa en un temor más profundo, el que produce la dependencia, no ya la del cuerpo *discapacitado* sino la dependencia potencial que todo cuerpo *capacitado* lleva aparejada. Asun Pié Balaguer (2019) en *La insurrección de la vulnerabilidad* apunta que la diversidad funcional atemoriza porque recuerda la fragilidad humana y la interdependencia. Es decir, actúa como un espejo cóncavo que refleja la falencia y decrepitud del cuerpo, también del *capacitado*. Quizá este temor explique la ansiedad colectiva, el temor, la suspicacia y el rechazo que genera cualquier encarnación de la *discapacidad* que no sea producto de lo inevitable.

En definitiva, la legitimidad de determinadas transformaciones corporales (quién puede aludir al «cuerpo equivocado») y tránsitos identitarios está determinada por las estructuras de inteligibilidad vigentes. Y lo más interesante de analizarlas no es juzgar su (im)pertinencia, sino que apuntan y desvelan cuáles son, hoy en día, los límites del cuerpo deseable.

5.3.2. *El cuerpo temido*

> «Siete años después de quedar tetrapléjico, la esperanza ha vuelto a la vida de Christopher Reeve. Al parecer, el popular *Superman* postrado en una silla de ruedas desde que en 1995 se cayó de un caballo, ha recuperado parte de la movilidad de los dedos de las manos y de los pies»[143].

Se entiende, espera y promueve que las personas *discapacitadas* se esfuercen por convertirse o, al menos, parecer *capacitadas*, a través de su tratamiento y rehabilitación. Pero no a la inversa. El paso de un cuerpo *discapacitado* a *capacitado* es socialmente incentivado y médicamente avalado, independientemente de los costes (monetarios, de tiempo o esfuerzo) que lleve asociado. Lo contrario resulta impensable.

En este sentido, en la investigación del antropólogo Carlos García Grados, sobre Fútbol Sala para ciegos y Goalball[144], se plantea una diferencia clave entre am-

---

[143] https://www.hola.com/cine/2002091133389/cine/reeverecu peracion/reeverecuperacion/

[144] Este deporte homogeneiza la percepción de los jugadores, mediante el uso de un antifaz opaco, haciendo que todos ellos jueguen totalmente a ciegas. «El Goalball es el único deporte paralímpico creado específicamente para personas ciegas y con discapacidad visual, en el que participan dos equipos de tres jugadores cada uno. Se basa principalmente en el sentido auditivo para detectar la trayectoria de la pelota en juego (que lleva cascabeles en su interior) y requiere, ade-

bos deportes. En el primero, en que los jugadores son ciegos, el mayor halago que pueden recibir es que juegan «como si vieran» ya que es:

> «aceptable, deseable e incluso admirable que sus cuerpos puedan confundirse con el cuerpo vidente (…) No hay problema alguno en que los cuerpos con discapacidad traten de asemejarse a los que no tienen discapacidad. Es precisamente el propósito de la rehabilitación». (García, 2019:270)

Sin embargo, en el Goalball, deporte en el que compiten personas con diferentes grados de «deficiencia visual», la barrera ciego/vidente es menos definida y aludir a que un jugador juega «como si viese» se convierte en una acusación grave. En primer lugar, porque puede referir a que está haciendo trampas y en realidad ve (por lo que estaría teniendo una ventaja injusta en relación con sus compañeros). En segundo lugar, porque, en un juego en que supuestamente la ceguera es una ventaja comparativa (se supone que al estar todos cegados por el antifaz, los *verdaderamente ciegos* juegan mejor), que un jugador con resto visual juegue «como si viera» significa que «juega

---

más, una gran capacidad espacial para saber estar situado en cada momento en el lugar más apropiado, con el objetivo de interceptar o lanzar la pelota. (…) Todos los jugadores llevan antifaces opacos para igualar la visibilidad de todos los participantes».
https://www.fedc.es/deportes/goalball

muy bien», es decir, que juega «como un ciego». Y esto resulta perturbador:

> «no se puede concebir que una persona que no es ciega total pueda hacer corporalmente de ciego a la perfección. Desde una lógica jerárquica de cuerpos coronada por el cuerpo capaz, este hecho es la anti-rehabilitación. Hay un horror consciente o inconsciente a la asimilación de un cuerpo que se considera deficiente, anormal». (García, 2019:270)

Como muestra la etnografía de García Grados y, de forma más amplia, el rechazo que experimentan las personas *transabled:*

> «la línea capacitista solo admite como válido un determinado sentido de la marcha para el tránsito de los cuerpos, es decir, aquel que fluye hacia la asimilación de un cuerpo normal y normativo capaz». (García, 2019:256)

La imitación de la diversidad funcional solo puede realizarse cuando los límites *capacidad-discapacidad* están claros y se evidencia la actuación como en el caso del *cripface,* es decir, cuando actores *capacitados* representan a personajes *discapacitados.* Por el contrario, las actuaciones que ponen de manifiesto que dichos límites son porosos, generan una ansiedad por la diferenciación y demarcación corporal. Un buen ejemplo es recogido en la investigación mencionada sobre arte y diversidad funcional (García-Santesmases y Arenas, 2017; Arenas y García-Santesmases, 2018). En la obra

El sexe dels Àngels (dirigida por Emili Corral en 2011), compartieron escenario actores *capacitados* y *discapacitados* y encarnaban, todos ellos, personajes con diversidad funcional. Sin embargo, paradójicamente, el grado de credibilidad que se asignaba a los personajes, y por ende la destreza actoral a quien lo representaba, no estaba directamente relacionada con la experiencia vital de la *dis/capacidad*. Uno de los actores explica que el público consideraba más verosímil a la actriz que «hacía de hemipléjica» (sin serlo) que al actor que «hacía de ciego» (siendo él mismo una persona invidente):

> «Se preguntaban [los asistentes a la obra] que si él no era ciego y que si [la actriz] sí era hemipléjica. Y ella se quedaba flipada y decía "¿pero no han visto que he saludado con las dos manos?" Porque para ella como actriz era importante que se viera que lo estaba simulando, porque era un plus a su actuación. Pero la gente ya la veía como tal, porque ella durante toda la obra tiene un brazo caído». (Eladio Herranz, actor)[145]

En consecuencia, para que el público considerara más verosímil al personaje ciego, se le pidió al actor ciego que representara «mejor» su ceguera, es decir, que la hiciera evidente para un público que acudía al

---

[145] Los fragmentos aquí recogidos fueron originalmente publicados en García-Santesmases y Arenas (2017); Arenas y García-Santesmases (2018).

espectáculo con una serie de preconcepciones y expectativas sobre cómo se comportan las personas ciegas. No obstante, el actor se resistía a reforzar una imagen estereotipada de la ceguera («ir tropezando») cuando, además, no correspondía con su manera de funcionar en su día a día. Su compañero de reparto, el actor Eladio Herranz, explica cómo intentaban convencerle:

> «Yo le dije "tío, estás haciendo teatro, no es tu vida". Y él [el actor ciego] me dijo "yo por mi casa no voy tropezando, entonces si se supone que yo voy por mi casa, no voy a ir tropezando". Y decíamos "es verdad, pero la gente espera que tropieces alguna vez" y entonces él reivindicaba "mira me ha costado mucho tiempo luchar"».

Eladio argumentaba la necesidad de representar comportamientos prototípicos de la *discapacidad* a partir de su propia experiencia como un actor tetrapléjico que daba vida a un personaje con lesión medular.

> «Yo, por ejemplo, tenía que tener algún espasmo, y claro no me daban espasmos en ese momento, entonces los tenía que provocar. Primero los provocaba de verdad, pero claro, el provocarlos de verdad podía salir bien o podía salir fatal. Entonces, en vez de provocármelos en las piernas, los simulaba en las manos. Y yo le decía "yo tampoco tengo estos espasmos en los brazos, pero simulo el espasmo en el momento para que la gente entienda que tengo espasmos, porque la gente no va a venir a mi

casa y estar 24 horas conmigo. Entonces tú, ¿verdad que te tropiezas a veces? Pues simula que te tropiezas para que sepan que te tropiezas».

El testimonio de Eladio revela que:

«Tener que actuar *como un discapacitado* (imitando comportamientos prototípicos, simulando posturas y gestos, poniendo en marcha determinadas técnicas corporales), pone de manifiesto que ser discapacitado no es una realidad *natural*. Y, en consecuencia, que la *capacidad* tampoco es un estatus bien delimitado e invariable. (Arenas y García-Santesmases, 2018:87).

La diferencia funcional, que pareciera remitir a una diferencia natural, fija e inmutable, encuentra en escena la posibilidad de transitar entre la realidad y la ficción, el *impairment* y la *disability*. Y, al igual que las actuaciones disonantes o paródicas en términos de género tienen el potencial de desnaturalizar la secuencia sexo-género (Butler, 1999), las actuaciones disonantes en términos de *capacidad* sirven para desnaturalizar el *able-body* (McRuer, 2004).

En síntesis, analizar las representaciones culturales y la experiencia encarnada de la diversidad funcional arroja luz sobre las expectativas y normas veladas que regulan el género y la *capacidad* y que demarcan qué cuerpo (no) puede ser deseado.

Conclusiones

La *discapacidad* no es una realidad ontológica incuestionable, sino un entramado de discursos y prácticas
sociales que varían socio-históricamente. En la actualidad es el discurso biomédico el que demarca qué
cuerpos y funcionamientos son *dis/capacitados*. Las
personas que reciben el estigma (la *discapacidad*) desarrollan diferentes estrategias para lidiar con el mismo
que pasan desde negar la atribución e intentar encarnar la normalidad (el denominado *passing*) hasta
apropiarse de la injuria y reivindicar un orgullo de la
diferencia. Esta segunda estrategia permite politizar la
discapacidad y plantearla como una identidad definida y
menospreciada por el capacitismo que opera de manera análoga a otros sistemas de jerarquización social
como el patriarcal o el colonial. Es decir, el problema
no sería la diferencia (en este caso funcional u orgánica) sino la estigmatización y discriminación capacitistas.

No obstante, la reivindicación de la *discapacidad* como
una cuestión de diversidad pareciera tener un límite
moral: su enunciación como una condición deseable,
sobre todo si es realizada por personas *capacitadas*.
Tanto en el caso en que el deseo pasa por la atracción
sexual específica por el cuerpo diverso (comúnmente
denominado *devotee*) como cuando se trata de un deseo de imitación (*pretender*) o encarnación (*wannabe*),
resulta ininteligible y estigmatizado. Estos deseos, que
no tienen nombre más allá de las categorías psiquiá-

tricas, constituyen la frontera de lo decible, lo pensable y lo imaginable sobre la *discapacidad,* y de su correlato velado: la *capacidad.* Precisamente por eso son interesantes de abordar, desde una perspectiva anticapacitista y feminista, porque desnudan los cimientos de la norma corporal.

EPÍLOGO
(Conversaciones pendientes)

Mi tía Rocío, a quien dedico este libro y cuya foto me acompaña mientras lo escribo, falleció hace ya dos años como consecuencia de una enfermedad respiratoria, degenerativa e incurable. Entre su diagnóstico y su fallecimiento pasaron ocho años. Su cambio corporal durante este tiempo fue lento. Al comienzo, cuando simplemente tenía «pequeños ahogos», el diagnóstico parecía inverosímil. Al final, cuando apenas podía caminar sin ahogarse y precisaba constantemente de la máquina de oxígeno, costaba recordar su vigorosidad pasada.

Durante ese tiempo, mi tía intentó seguir las innumerables prescripciones médicas de dieta, ejercicio y rehabilitación. La vigilaban nuestras miradas acusatorias y el mandato implícito: «tienes que cuidarte». A ella, la cuidadora por antonomasia –que ponía toda la dedicación, cariño y tiempo en cuidar a los demás– le costaba ese cambio de roles, pero se esforzaba a diario. Acudía a sesiones grupales de rehabilitación respiratoria, con otras personas con diagnósticos similares. Una vez la acompañé y me sorprendió la complicidad con la que compartían consejos y experiencias y el humor al que recurrían: se autodenominaban «los afogados» (los ahogados).

Su periodo de enfermedad coincidió con mis estudios de máster y doctorado. Siempre se mostró muy orgullosa de mis logros académicos, no tanto de los temas que me interesaban o de mi posicionamiento político. Una vez, cuando yo relataba entusiasmada el proceso de filmación de *Yes, we fuck!*, me espetó con firmeza y un atisbo de resentimiento «yo lo que soy es minusválida». La continuación de la frase no sé si llego a explicitarla, pero era clara: «yo no soy una persona con diversidad funcional». No me atreví a corregirla ni discutirla. Guardé silencio ante su dolor. Me estaba confrontando con su experiencia corporal. Ella no se sentía «diversa», no pensaba que su manera de funcionar fuera «simplemente diferente». Y ahora, escribiendo el epílogo, me pregunto qué pensarían ella y el resto de los «afogados» de este libro.

Pero también pienso en otras experiencias que muestran que el cuerpo (in)deseado no es algo estanco porque ni el cuerpo ni el deseo lo son: recuerdo a Nico, que conoció las fiestas tullidas y lloraba por todo lo que se había perdido antes de conocerlas; en las intimidades y placeres que compartimos en *Yes, we fuck!*; y en mi amiga, llamémosla Miranda (que así me lo ha pedido), a la que prácticamente obligué a abrirse una cuenta en Tinder que la condujo, para poder encontrarse con sus amantes, a trasgresiones anticapacitistas insospechadas. Y, pienso, que, ojalá, este libro sirva para contribuir a que estas historias sean más frecuentes, posibles e imaginables. Y que mi sobrina, llamémosla Alba, y su amigo, llamémosle Gabriel, crezcan en un mundo un poquito más vivible, en que más cuerpos sean deseados y más deseos incorporados.

Para ello, hay que abordar no una sino muchas conversaciones pendientes, urgentes y, en ocasiones, dolorosas. La que plantea este libro, y que pretende ser un disparadero para muchas más, no está exenta de tensiones. El epílogo, que me ha servido para seguir conversando con experiencias pasadas y compañeras presentes, busca señalar algunas.

En primer lugar, hay una tensión en torno al sujeto protagonista del anticapacitismo. Podría argumentarse que no se deben mezclar la experiencia y la teorización sobre la *discapacidad* con la de la *enfermedad*. Y que experiencias como la de Gabriel o mi tía Rocío no proceden, son esencialmente diferentes, porque ellos están/estaban *enfermos*. Desmedicalizar la *discapacidad*, convertirla en una identidad política, reivindicarla como una condición no patológica ha sido una de las bases del movimiento anticapacitista: «No estamos enfermos, funcionamos de manera diferente» es una proclama histórica y esencial. Asimismo, los Estudios de la Discapacidad surgen conectados con la Sociología y otras Ciencias Sociales (en el caso británico) y con los Estudios Culturales (en el americano), precisamente, para escapar de las disciplinas afines al Modelo Médico-Rehabilitador.

No obstante, esta demarcación clara e histórica se está poniendo en cuestión. Campos teóricos que hasta hace poco se autodefinían como enfrentados, como son los Estudios de la Discapacidad, por un lado, y la Sociología Médica y la Sociología de la Salud, por otro, están comenzando a dialogar y a pensar conjuntamente (ver Thomas, C, 2007; Thomas, G, 2021). Y, en esta línea, acaban de traducir el último libro de la teórica americana Jasbir Puar, *Derecho a Mutilar*, en que propone incorporar el concepto de «debilidad» como una forma de nombrar el daño corporal y la exclusión social provocados por factores políticos y económicos que el término *discapacidad* no acaba de reconocer.

Paralelamente, también la encarnación de la lucha anticapacitista está cambiando. Mientras que el MVI clásico estuvo mayoritariamente protagonizado por personas, sobre todo varones, con DF física, en el anticapacitismo actual, sobre todo aquel que dialoga con los feminismos (ver Itxi Guerra, 2021), cada vez son más personas las que se nombran desde la neurodivergencia, las *discapacidades* invisibles o las enfermedades crónicas. Tanto en el ámbito latinoamericano como en el contexto español, algunas de las voces más jóvenes y radicales, remiten a su «diagnóstico» y no solo se sienten identificadas con el anticapacitismo sino que lo reivindican, ponen en cuestión y enriquecen. Como siempre me recrimina mi amiga Elena Prous, activista del FVID, «Andrea, hay que estar en Instagram, está habiendo un cambio». La nueva generación está planteando nuevas preguntas y alianzas y parecen tener menos temor a la vulnerabilidad y la fragilidad que conllevan.

Pero ampliar el sujeto del anticapacitismo, al igual que ocurre con otros movimientos sociales, genera tensiones y preocupaciones, se teme que se amplíe tanto que se desvirtúe el sentido de la lucha y se pierdan conquistas. Hay muchos cuerpos concebidos como «poco» o «menos» *capaces*. Por ejemplo, como mi padre me recuerda estos días, ¿qué hay de la «gordofobia» (desde que aprendió esta palabra la usa a menudo) que «incapacita» a «los gordos» física y simbólicamente en muchas esferas de la vida? Asimismo, cabría preguntarse, ¿en qué se diferencia la necesidad de asistencia personal de una persona mayor y de una persona joven con DF? ¿Por qué las residencias para personas con DF deben clausurarse y las de la tercera edad siguen pareciendo una opción aceptable? Y, de manera más amplia, ¿qué diferencia sustantiva hay entre capacitismo y edadismo que hace que se diferencien estas luchas? ¿No son, al fin y al cabo, las personas mayores discriminadas por ser consideradas «menos capaces»?

Evidentemente, la tensión sobre el sujeto de la lucha anticapacitista remite a la discusión feminista actual. No hay una respuesta fácil. Pero considero que, de la misma forma que los feminismos no deberían de centrarse exclusivamente en la experiencia de las mujeres (sino en cómo se produce, rearticula y reproduce el patriarcado), una perspectiva anticapacitista, tanto en la teoría como en la práctica, debe ocuparse de cómo se construye, reifica y encarna el sistema capacitista. Entender que las categorías de *capacidad* y *discapacidad* son constructos socioculturales que responden a lógicas biopolíticas es lo que permite rescatarlas del silenciamiento del veredicto médico y abordarlas como una cuestión política. En este sentido, en el mundo anglosajón ya hay quienes defienden pasar de hablar de «Estudios de la Discapacidad» a «Estudios de la Capacidad» (Wolbring, 2008; Campbell, 2009). Es decir, poner en el centro el análisis de la *capacidad* y del capacitismo.

Entender que la lucha es contra el capacitismo como sistema permite, además, establecer una alianza más firme y decidida con los feminismos. Las mujeres han sido históricamente consideradas *discapacitadas*: cognitivamente inferiores, físicamente débiles, emocionalmente inestables. El eje *capacidad/discapacidad* no remite a categorías esenciales, sino que varía y se rearticula. Lo *otro* cambia de forma, pero lo *uno*, la norma y vara de medir, siempre es el varón *capacitado*.

En segundo lugar, la tensión sobre el sujeto de la lucha está estrechamente ligada a la tensión sobre el sujeto de la enunciación. Mi amiga y compañera intelectual Laura Sanmiquel-Molinero me señalaba, en estos días, el riesgo de «utilizar la discapacidad como una metafora y un elemento que ilumina al feminismo». Me temo que con eso hace una crítica educada, pero descarnada, a la alusión repetida, en mis trabajos anteriores y en este mismo libro, a que la diversidad funcional «refresca» o «enriquece» el feminismo, como si se tratara de un complejo vitamínico de rápido crecimiento –ante el temor de reproducir el paternalismo del feminismo «misionero» («el feminismo se debe encargar también de...» o «no debe olvidar a...») parece que he caído en el feminismo «iluminado»–. Asimismo, Laura advertía que la metáfora de la conversación pareciera implicar a que las partes tuvieran una posición equiparable y, a día de hoy en nuestro contexto, la presencia e incidencia de los feminismos es mayor que la del anticapacitismo.

En este sentido, es importante tener presente que hay asimetrías de poder en quién tiene la posibilidad de enunciar(se) e, históricamente y aún hoy, la academia tiende a despreciar la voz de la experiencia como un «dato informativo» en lugar de considerarla una fuente legítima y valiosa de producción de conocimiento. No obstante, las políticas identitarias, en la actualidad, están conduciendo a un esencialismo de trinchera, a una reivindicación de la enunciación en que la vivencia parece ser la única enunciación pertinente. Y, por tanto, cualquier acercamiento que no pase por ahí supone apropiarse de una lucha que *no te pertenece* y solo puede estar guiado por un paternalismo misionero o, incluso peor, un intento electoralista de aumentar el caché académico. Esta trinchera esencialista flaco favor les hace tanto a los feminismos como al anticapacitismo. Las alianzas son necesarias[146], las conversaciones imprescindibles.

---

[146] En esta línea, se plantea el libro *Alianzas rebeldes. Un feminismo más allá de la identidad*. Concretamente, el texto de Miquel Missé critica el «identitarismo» presente en las luchas feministas y LGTB

Concretamente, pensar que sobre capacitismo solo deben/pueden hablar «las personas con» reproduce la idea de la *capacidad* como una identidad que puede mantenerse ajena a la *discapacidad*, como si existiera un cuerpo eternamente sano, funcional y autónomo, que no precisara de los otros. De la misma forma, supone plantear la *discapacidad* como una categoría estanca y homogeneizante. Y, si bien el proceso capacitista de diferenciación y discapacitista de discriminación es análogo entre, por ejemplo, una persona en silla de ruedas y una persona con síndrome de Down, difícilmente una tiene una experiencia de vida representativa de la otra.

Por último y más allá de la discusión sobre la enunciación del anticapacitismo, la propia idea de que solo pueden/deben hablar «las personas que lo viven» es en sí misma capacitista ya que parte y exige una determinada *capacidad*: de reflexionar, narrar, expresar, identificar, comunicarse. Hay personas, como Ashley que tienen condiciones que le impiden expresarse y que nunca podrán explicar, en términos inteligibles para el resto, lo que quieren o viven. Pero igualmente deben ser incluidas como sujetos de derechos[147]. Si no

---

actuales y llama a «una defensa del valor de las alianzas, de la importancia de compartir las luchas con quienes compartimos valores y romper con la ilusión de que por compartir una identidad compartimos un ideario político». (2021:148)

[147] A propósito del caso de Ashley, Alison Kafer alerta sobre los riesgos de verla como ajena a la lucha anticapacitista por estar «demasiado afectada», es decir, critica la diferencia que tiende a

lo hacemos, si pensamos que «no es asunto nuestro», personas como Martin, que sufrieron durante años abusos en una residencia, continuarán siendo «el niño invisible». Y la pandemia de la Covid-19 ha puesto aún más de relieve que la organización social de los cuidados no es «un asunto suyo» o un problema «de unos pocos», es una responsabilidad de todas.

En definitiva, esta conversación no ha hecho más que comenzar.

---

establecerse entre «discapacidad» e «incapacidad» ya que despolitiza la segunda categoría: "To see her differently, to accept the representation of her as "unabled" rather than "disabled", is to accept an ableist logic that positions impairment –if "severe" enough– as inherently depoliticizing; "unability" becomes the category that allows "disability" to separate itself from those bodies/minds that remains in the margins." (Kafer, 2017: 300)

Agradecimientos

A los feminismos, la savia de este libro.

Al movimiento anticapacitista, especialmente al FVID y las OVIs de Barcelona y Madrid, por mostrar qué vidas merecen la pena ser vividas. Con especial cariño y reconocimiento a Soledad Arnau (*in memoriam*), pionera de los «Estudios feministas de la diversidad funcional». Y a Antonio Centeno, porque su lucha por la sexualidad amplía los márgenes del deseo. A la nueva generación del activismo *crip, tullido y disca*, porque nos cambian las preguntas. Y al Grupo de Trabajo Estudios Críticos en Discapacidad de Clacso porque hacen otras nuevas.

A todas las interlocutoras de la conversación, plural y multiforme, que nutre este libro: a las que compartieron sus saberes, vivencias y experiencias; a las que discutieron ideas y reflexiones; a las que revisaron borradores; a las que se afanaron por pensar un buen título una noche de sábado. Con especial agradecimiento a Laura Sanmiquel-Molinero y Elena Prous, cómplices teóricas y activistas, por acompañar cada una de estas páginas con sabiduría, perspectiva crítica y mucho sentido del humor. Y a Cecilia Cienfuegos, por su lectura sagaz y por (más) años de discusiones apasionantes.

A las editoras de Kaótica libros, por apostar por el proyecto cuando no era más que media página ilusionada. A Bob Pop, por su extraordinaria generosidad al aceptar prologar esta obra y por hacerlo con un texto emocionante, poético y político. A Gustavo A. Díaz por permitirme rastrear su fondo documental hasta encontrar la mejor ilustración.

A la School of Social Work de Lund (Suecia) por acoger la estancia de investigación que, entre piedra antigua y brumas, dio el impuso definitivo a la escritura de este libro. A la *Beca Castillejos* por financiarla. A *Kritfunk* –la red de Critical Disability Studies sueca– espacio clave de interlocución académica durante ese periodo. Con especial agradecimiento a Julia Bahner, por su cálida y generosa acogida; a Marie Sepulchre, por hacer de Malmö un hogar; y a Oskar Krantz, por las tardes de *fika*.

Al Departamento de Trabajo Social de la UNED por el apoyo y la libertad académica para desarrollar estos proyectos. Al grupo de investigación Carenet de la UOC, la mejor escuela, porque otra academia es posible. Al Master Oficial en Sexología de la UCJC, por poner la diversidad funcional en el centro del estudio de las sexualidades.

A mi sobrina A. y a su mejor amigo G., por esos instantes en que funcionar de manera diferente es, sencillamente, un acicate para el juego y la diversión. A sus familias, por permitirme contar esta historia. A mi prima Jess, por hacerme partícipe de sus vidas. A mi madre, primera y más fiel lectora, porque lo entendió; a mi padre, asesor y archivero, porque no necesitó entenderlo todo; a ambos, por el apoyo incondicional y entusiasta. A Julián, lector e interlocutor infatigable, por alentarme y sostenerme. Y a mi yaya, cuya vida es ejemplo de cuán precarios y necesarios son los cuidados, por los veranos en Medeiros.

Bibliografía

Allué, M. (2003): *DisCapacitados. La reivindicación de la igualdad en la diferencia*. Barcelona: Bellaterra.

Alonso Guevara, M. (2009): *Nacida con AMC*. A Coruña: Diversitas Ediciones.

Angel, K. (2021): *El buen sexo mañana. Mujer y deseo en la era del consentimiento*. (Trad. A, Gª Marcos). [*Tomorrow Sex Will Be Good Again. Women and Desire in the Age of Consent*]. Barcelona: Ediciones Alpha Decay.

Arenas Conejo, M. y García-Santesmases, A. (2018): «¿Puede ir Hamlet en silla de ruedas? Cuerpos diversos y creación artística». En Bretones, E. y Pié, A. *Cuerpos de la educación social*. Barcelona: UOC, 61-90.

Arenas, M., y Pié, A. (2014): «Las comisiones de diversidad funcional en el 15M español: poner el cuerpo en el espacio público». *Política y Sociedad*, 51(1), 227-245.

Argudo, R. (12 de octubre de 2019): Actualidad. *La Razón*. «Cuando todo es acoso»: https://www.larazon.es/familia/cuando-todo-es-acoso-MD25264008/

Arnau Ripollés, Mª S. (2019): «Estudios críticos de y desde la diversidad funcional». Escuela Internacional de Doctorado. Programa de Doctorado en Filosofía. Madrid: UNED
        —(2009): «Del aborto "eugenésico" al aborto "post-parto": reflexiones desde una Filosofía para la Paz en clave feminista y de diversidad funcional». *Revista Dilemata*, 9. 193-223.

Arzu (2018): *Huesos Secos, sobre enanos y corporalidades disidentes* (fanzine).

Badinter, E. (1993): *XY: sobre la identidad masculina [Xy: On Masculine Identity]*. Madrid: Alianza.

Ballesteros. E. (20 de agosto de 2022): Sociedad. *Eldiario.es*. «La asistencia sexual a personas con discapacidad: entre el tabú y la sombra de la prostitución». https://www.eldiario.es/illes-balears/sociedad/asistencia-sexual-personas-discapacidad-tabu-sombra-prostitucion_1_9007302.html

Barjola, N. (2018): *Microfísica sexista del poder: el caso Alcàsser y la construcción del terror sexual*. Barcelona: Virus Editorial.

Bates, D. (4 de septiembre de 2020): *Dailymail.com*. "EXCLUSIVE: How Stephen Hawking's second wife Elaine was accused of abuse, raged she was his 'slave' and became part of bizarre family that included his three children, his first wife and her lover, new book claims". https://www.dailymail.co.uk/news/article-8698199/Stephen-Hawkings-second-wife-Elaine-raged-guests-slave.html

Butler, J. (2010). *Marcos de guerra: Las vidas lloradas*. (Trad. B. Moreno Carrillo). [*Frames of War: When Is Life Grievable?*]. Buenos Aires: Paidós.
—(2007). *El género en disputa: El feminismo y la subversión de la identidad*. (Mª A. Muñoz García) [*Gender Trouble: Feminism and the Subversion of Identity*]. Buenos Aires: Paidós
—(2002): *Cuerpos que importan*. (Trad. A. Bixio). [*Bodies That Matter*]. Buenos Aires: Paidós.

Calderwood, I. (8 de junio de 2015): *Daily Mail Online*. "People in wheelchairs are having great sex - better sex than a lot of people are havin: Toronto to host massive 'world-first' orgy for disabled people". https://www.daily

mail.co.uk/news/article-3115264/People-wheelchairs-hav
ing-great-sex-better-sex-lot-people-having-Toronto-host-
massive-world-orgy-disabled-people.html

Campbell, Fiona A. K. (2009): *Contours of Ableism: The
Production of Disability and Abledness*. Palgrave Macmillan.
—(2001): *Inciting Legal Fictions: "'Disability's' Date
with Ontology and the Ableist Body of the Law"*. *Griffith
Law Review* 10.1: 42.

Cañada Mullor, E. (2021): *Cuidadoras. Historias de
trabajadoras del hogar, del servicio de atención domiciliaria y de
residencias*. Vilassar de Dalt: Icaria.

Carbonero, S. (1 de marzo de 2019): *Deportes. Cuatro*. «La
entrevista completa de Sara Carbonero a Álex Roca».
https://www.cuatro.com/deportes/entrevista-completa-
sara-carbonero-alex-roca_18_2715330168.html

Carrasco, C., Borderías, C., y Torns, T. (eds). (2011): *El
trabajo de cuidados. Historia, teoría y políticas*. Madrid:
Catarata.

Centeno, A. (2020): «Una aproximación a la bioética de la
diversidad funcional desde el deseo». *Revista Atlántida*, 29-
49; ISSN: e-2530-853X
—(1 de diciembre de 2017): *Opinión y Blogs.
Eldiario.es*. «La diversidad funcional como oportunidad para
las nuevas masculinidades». https://www.eldiario.es/interfe
rencias/diversidad-uncional-masculinidad_132_3027662.html
—(2014): «Simbolismos y alianzas para una
revuelta de los cuerpos». *Educació Social. Revista d'Intervenció
Socioeducativa*, 58, 101–118.
—(2012): *Derechos humanos ya*. [Entrevista]
http://derechoshumanosya.org/antonio-centeno-se-nos-
reservan-tres-vias-para-alcanzar-la-dignidad-la-de-ramon-
sampedro-la-de-superman-y-la-de-stephen-hawking/

Centeno, A., y De la Morena, R. (2015): *Yes, We Fuck!* [Video Documental]. España: Autor

Centro de Masculinidades Plural de Barcelona (6 de octubre de 2021): *Drets socials.* Youtube. Jornades Masculinitats Plural. 6 d'octubre. https://www.youtube.com/watch?v=LrF_b9XkaRk

Cohen-Greene, C. T. with Garano, L. (2012): *An intimate life: sex, love, and my journey as a surrogate partner.* Berkeley: Soft skull press.

Comité sobre los Derechos de las Personas con Discapacidad. (27 de octubre de 2017): Convención sobre los Derechos de las Personas con Discapacidad. CRPD/C/GC/5. Naciones Unidas. *Observación general núm. 5 (2017) sobre el derecho a vivir de forma independiente y a ser incluido en la comunidad.* http://www.convenciondiscapacidad.es/wp-content/uploads/2019/01/Observacion-5-Art%C3%ADculo-19-Vida-independiente.pdf.

Cuevas, J. (20 de agosto de 2021): *Deportes. Sopitas.com.* «WeThe15: La poderosa iniciativa del Comité Paralímpico a favor de la inclusión». https://www.sopitas.com/deportes/que-es-wethe15-campana-comite-paralimpico-para-personas-con-discapacidad/

De Beer (2019): "Paternal Masturbation of Profoundly Disabled Son: South African Case Study". *Diverse Voices of Disabled Sexualities in the Global South.* pp. 189–220

De la Cruz, C. (2018): *Sexualidades diversas, sexualidades como todas: aportaciones desde la sexología al ámbito de la diversidad funcional y la discapacidad.* Madrid: Fundamentos

Donath. O. (2016): *Madres arrepentidas.* (Trad. A, Leiva Morales). [*Regretting Motherhood: A Study*]. Nueva York: Reservoir Books.

Egaña, L. (2015): «Trincheras de carne. Una visión localizada de las prácticas postpornográficas en Barcelona». (Tesis doctoral). Barcelona: Universitat Autónoma de Barcelona.

El País (8 de octubre de 2019): Madrid. *El País*. «El concejal de Más Madrid Pablo Soto dimite tras ser acusado de acoso sexual por una compañera». https://elpais.com/ccaa/2019/10/08/madrid/1570567719_713008.html

Escudero, S. (23 de septiembre de 2015): Cultura. *Vice*. «La prostitución a la antigua todavía existe: entrevistamos a la madame más famosa de Barcelona». https://www.vice.com/es/article/exwz7e/la-prostitucion-a-la-antigua-069

Esteban, M. L. (2004): *Antropología del cuerpo. Género, itinerarios corporales, identidad y cambio*. Barcelona: Bellaterra.

Estrategia Española sobre Discapacidad, 2022-2030.

Europa Press (23 de mayo de 2022): Igualdad. Epsocial. *Europapress*. *«Expertos defienden la asistencia sexual a personas con discapacidad frente a la prostitución: "Los roles son diferentes"»*. https://www.europapress.es/epsocial/igualdad/noticia-expertos-defienden-asistencia-sexual-personas-discapacidad-frente-prostitucion-roles-son-diferentes-20220523181046.html
       —(14 de marzo de 2022): Igualdad. Epsocial. *Europapress*. «Aspace denuncia el archivo de casos de agresión sexual a mujeres con parálisis cerebral por no admitirse sus testimonios». https://www.europapress.es/epsocial/igualdad/noticia-aspace-denuncia-archivo-casos-agresion-sexual-mujeres-paralisis-cerebral-no-admitirse-testimonios-20220312123252.html

Fine, M. y Asch, A. (eds.) (1988): *Women with disabilities: Essays on psychology, culture and politics*. Filadelfia: Temple University Press.

Finger, Anne (1992): 'Forbidden Fruit', *New Internationalist*, 233, 8– 10.

Foro de Vida Independiente y Agencia de Asuntos Precarios Todas a Zien. (2012): *Cojos y precarias, haciendo vidas que importan*. Madrid: Traficantes de Sueños.

Foro de vida independiente y divertad. (6 de diciembre de 2013): FVID. «Las mujeres y la diversidad funcional». http://forovidaindependiente.org/las-mujeres-y-la-diversidad-funcional/

Foucault, M. (1987): *La historia de la sexualidad I. La voluntad de saber*. (Trad. U, Guiñazú). [*The History of Sexuality: The Will to Knowledge*]. Madrid: Siglo XXI.

Friedan, B. (2016): *La mística de la feminidad. [The Feminine Mystique]*. Madrid: Ediciones Cátedra.

Gabilondo, N. (24 de octubre de 2018): Recapacitando. *El Salto*. «¿Qué siente un "devotee"?» https://www.elsalto diario.com/recapacitando/que-siente-un-devotee-
　　　—(1 de octubre de 2018): Recapacitando. *El Salto*. «¿Parafilia o fetiche?». https://www.elsaltodiario.com/reca pacitando/parafilia-o-fetiche-la-desconocida-devocion-por-las-personas-con-discapacidad

García Alonso, coord. (2003): *El Movimiento de Vida Independiente. Experiencias internacionales*. Madrid: Fundación Luis vives.

García, L. M. (6 de febrero de 2018): Opinión. *Público*. «Embarazada de un boy enano desde hace más de tres años». https://blogs.publico.es/bulocracia/2018/02/06/embarazada-de-un-boy-enano-en-su-despedida-de-soltera-desde-hace-mas-de-tres-anos/

García-Santesmases Fernández, A. (2020): «CRIP, WHAT?? Enunciaciones, tensiones y apropiaciones en torno a la reivindicación de lo tullido en el contexto español». *Papeles del CEIC, International Journal on Collective Identity Research*, 2020/2, 232, 1-20.

—(2019): «Luces, cámara y erección: la asistencia sexual a escena». *Encrucijadas: Revista Crítica de Ciencias Sociales, 17,* 1-19.

—(2017): «Cuerpos (im)pertinentes: Un análisis *queer-crip* de las posibilidades de subversión desde la diversidad funcional» [Tesis Doctoral, Universitat de Barcelona]. http://hdl.handle.net/10803/402146

—(2015): «El cuerpo en disputa: cuestiona-mientos a la identidad de género desde la diversidad funcional». *Intersticios: Revista Sociológica de Pensamiento Crítico,* 9(1), 41-62.

—(25 de mayo de 2012). FVID. «La Operación Pozoblanco o la construcción de una identidad colectiva». http://forovidaindependiente.org/la-operacion-pozoblanco-o-la-construccion-de-una-identidad-colectiva/

García-Santesmases Fernández, A. y Arenas Conejo, M. (2017): "Playing crip: the politics of disabled artists performances in Spain". *Research in Drama Education: The Journal of Applied Theatre and Performance,* 22:3, 345-351

García-Santesmases Fernández, A., y Branco Ferreira, C. (2016). «Fantasmas y fantasías: controversias sobre la asistencia sexual para personas con diversidad funcional». *Pedagogía y Trabajo Social. Revista de Ciencias Sociales Aplicadas,* 5(1), 3-34.

García-Santesmases Fernández, A. y Centeno Ortiz, A. (2015): «*Wannabes, pretenders y devotees:* el deseo de los monstruos»; en Pié y Planella *Políticas, prácticas y pedagogías Trans.* Barcelona: Editorial UOC, 105-118.

García-Santesmases, A; López, D.; Pié Balaguer, A. (2022): "Being just their hands? Personal assistance for disabled people as body work." *Sociology of Health and Illness,* 1-20

García-Santesmases Fernández, A. y Pié Balaguer, A. (2017). "The Forgotten: Violence and (Micro)Resistance in Spanish Disabled Women´s Lives." *AFFILIA: Journal of Women and Social Work* (AFF), 32: 4, 432-445

García-Santesmases, A.; Sanmiquel-Molinero, L. (2022): "Embodying Disabled Liminality: A Matter of Mal/ Adjustment to Dis/ableism." *Sociology of Health and Illness,* 377-394

García-Santesmases, A., Sanmiquel, L. y Prous, E. (28 de abril de 2020): *El Salto.* «Si no merecemos vivir ahora, ¿cómo vamos a vivir después?». https://www.elsaltodiario. com/opinion/diversidad-funcional-si-no-merecemos-vivir-ahora-como-vamos-vivir-despues

García-Santesmases Fernández, A., Vergés Bosch, N., Almeda Samaranch, E. (2017): «From alliance to trust: constructing Crip-Queer intimacies». *Journal of Gender Studies,* 26(3), 269-281

Garland-Thomson, R. (2002): "Integrating disability, transforming feminist theory." *NWSA Journal,* 14(3), 1–32.

Gill, Michael Carl (2015): *Already Doing It: Intellectual Disability and Sexual Agency.* University of Minnesota Press.

Gimeno, B. (13 de febrero de 2011): Archivo Web. «Por el culo, políticas anales». https://web.archive.org/web/ 20130615124228/http://beatrizgimeno.es/2011/02/13/p or-el-culo-politicas-anales/
        —(9 de septiembre de 2008): Web de Beatriz Gimeno. «El discurso de la discapacidad». https://beatriz gimeno.es/2008/09/09/el-discurso-de-la-discapacidad/

— (15 de enero de 2007): Web de Beatriz Gimeno. «La discapacidad: una experiencia desde el margen». https://beatrizgimeno.es/2007/01/15/la-discapacidad-una-experiencia-desde-el-margen/

—(2006): «Orgullo contra prejuicio». En VV. AA. *Palabras de mujer*. Madrid: Fundación ONCE, 54-67.

Go Red for Women (21 de febrero de 2020): Official GoRed 4Women. Youtube. *Madeline Stuart | Red Dress Collection Runway*. https://www.youtube.com/watch?v=5mqvuTz1vac

Goffman, E. (2010): *Estigma. La identidad deteriorada. [Stigma: Notes on the Management of Spoiled Identity]*. Buenos Aires: Amorrortu.

—(1961): *Asylums. Essays on the Social Situation of Mental Patients and Other Inmates* (trad. Española: *Internados. Ensayos sobre la situación social de los enfermos mentales*, Amorrortu, Buenos Aires, 1970)

González, J. (2005): *Reinventarse. La doble exclusión: vivir siendo homosexual y dis-capacitado*. Madrid: CERMI

Guerra, Itxi. (2021): *Lucha contra el capacitismo*. Zaragoza: Imperdible editorial.

Guzmán, F., y Platero, L. (2012): «Passing, enmascaramiento y estrategias identitarias: diversidades funcionales y sexualidades no-normativas». En L. Platero: *Intersecciones: Cuerpos y Sexualidades en la encrucijada*. Barcelona: Bellaterra, 125-158.

Guzmán, P. (2013): «Siete músculos para sonreír». *Panegírico*.https://sietemusculosparasonreir.wordpress.com/2013/10/31/panegirico-por-paco-guzman/

Haraway, D. J. (1988): "Situated knowledges: The science question in feminism and the privilege or partial perspectives." *Feminist Studies*, 12, 579–599.

Herranz, E. (2019): *El tercer día: Caminando sobre ruedas*. Amazon, autoeditado.

Hidalgo, C. (15 de septiembre de 2021): Madrid. *ABC*. «La madre que dice que ha matado a su hijo: "Lo he tirado en unos contenedores a la salida de Madrid"». https://www.abc.es/espana/madrid/abci-madre-dice-matado-hijo-tirado-unos-contenedores-salida-madrid-202109151137_noticia.html

Hochschild, A. R. (2000): *Global Care Chains and Emotional Surplus Value*, in Hutton, W. and Giddens, A. (eds). *On The Edge: Living with Global Capitalism*. London: Jonathan Cape.

Hola (11 de septiembre de 2002): *Hola.com*. «Christopher Reeve recupera parte de la movilidad de sus dedos». https://www.hola.com/cine/2002091133389/cine/reever ecuperacion/reeverecuperacion/

Hurtado, I. (2015): «Cuerpos impropios: Amputaciones voluntarias y reflejos mediáticos». En S. Brigidi. (coord.), *Cultura, salud y cine. Col·lecció Antropologia Mèdica* (pp. 101-123). Tarragona: Publicacions URV.

Iglesias, M. (4 de noviembre de 2012): Asociación iniciativas y estudios sociales. «Las mujeres y la diversidad funcional». https://iniciativasyestudiossociales.org/las-mujeres-y-la-diversidad-funcional/
        —(19 de octubre de 2005): Asociación iniciativas y estudios sociales. «Construyendo la igualdad». https://iniciativasyestudiossociales.org/construyendo-la-igualdad/

Illouz, E. (2020): *El fin del amor: Una sociología de las relaciones negativas. [The End of Love: A Sociology of Negative Relations]*. Kaltz Ediciones.

Infocop (3 de diciembre de 2013): *Infocop*. «"Somos superpersonas", campaña a favor de las personas con discapacidad». https://www.infocop.es/view_article.asp?id=4 872

Jen (1 de mayo de 2015): "People Aren't Broken. Disability from the Inside Out". *CripFace*. http://www.people arentbroken.com/?p=611

Juegos Paraolímpicos de Río. (14 de julio de 2016): *Channel 4 Entertainment*. Youtube. "We're The Superhumans". https://www.youtube.com/watch?v=IocLkk3aYlk

Kafer, A. (2017): "At the Same Time, Out of Time". En Davis, L.: *The Disability Studies Reader*, 282-305.

Kovi, R. (1976/2005): *Born on the fourth of July*. Canadá: Akashic Books New York.

Latorre, M. (2007): *Institut Guttmann*. «Game Over, no te la juegues. Un programa de prevención de accidentes consolidado». https://siidon.guttmann.com/files/sr81_game over.pdf

Le Breton, D. (2010): *Antropología del cuerpo y modernidad*. (2ª ed.). (Trad. P, Mahler) [*Anthropologie du corps et modernité*]. Buenos Aires: Nueva Visión

Manifiesto CERMI. (25 de noviembre de 2022): Comunicación. Noticias. Plataforma ONG. «No estás sola. ¡No más violencia contra las mujeres con discapacidad!». https://www.plataformaong.org/noticias/3517/no-estas-sola-no-mas-violencia--contra-las-mujeres-con-discapacidad

Martínez, Ana I. (1 de septiembre de 2013): *ABC*. Sociedad. «Apotemnofilia o el deseo de amputarse una parte sana del cuerpo». https://www.abc.es/sociedad/20130901/abci-trastorno-biid-apotemnofilia-201308302052.html

Martínez, I. (2 de febrero de 2022): *El hombre invisible.* «Historias de asistencia desde otro lado, otra mirada». https://elhombrei.blogspot.com/2022/02/invisible.html

Mateos, R. (26 de enero de 2014): Sociedad. *La Vanguardia.* «La asistencia sexual a discapacitados llega a España». https://www.lavanguardia.com/vida/20140126/5439948 5668/asistencia-sexual-sexo-discapacidad-sexualidad-diversidad-funcional.html

Mauleón, A. (26 de abril de 2009): Sociedad. A coruña. *La Opinión.* «*El placer no entiende de minusvalías*». https://www.laopinioncoruna.es/sociedad/2009/04/26/placer-entiende-minusvalias-25332963.html

McRuer, R. (2021): *Teoría crip.* (Trad. J. Sáez del Álamo) [*Crip theory*]. Madrid: Kaótica libros.

Morris, J. (1996): *Encounters with strangers: feminism and disability.* London: The Women's Press.

Moscoso, M. (2007): «Menos que mujeres: los discursos normativos del cuerpo a través del feminismo y la discapacidad». En Arpal, J. y Mendiola, I. (2007): *Estudios sobre cuerpo, cultura y tecnología.* Servicio editorial de la UPV/EHU, 185-195.
        —(15 de enero de 2014): *Pikara Magazine.* «No en mi nombre». https://www.pikaramagazine.com/2014/01/no-en-mi-nombre/

Moscoso, M., y Arnau, S. (2016): «Lo Queer y lo Crip como formas de re-apropiación de la dignidad disidente. Una conversación con Robert McRuer». *Dilemata*, 20, 137-144.

Moscoso, M. y Platero, L.: "Cripwashing: the abortion debates at the crossroads of gender and disability in the Spanish media."; *Continuum Journal of Media & Cultural Studies* 31(3):470-481

Moyà, J. (2019): «Sincronitzant autonomies : estudi d'un servei de vida independent per a persones amb la síndrome de Down». UAB: Tesis doctoral.

Mucha, M. (30 de noviembre de 2022): El Mundo. «La 'escort' para personas con discapacidad que salvó a los suyos y lanza una andanada de cartas protesta al Congreso». https://www.elmundo.es/cronica/2022/11/29/638494cd21e fa0dd408b45a4.html

Murphy, R. (1987): *The body silent*. New York: Norton.

Naciones Unidas (2006): *Convención sobre los derechos de las personas con discapacidad*. ONU.

Navone, S. L. (2018): «Norma, integración y desafío. Representaciones masculinas de varones con discapacidad física». *Sexualidad, Salud y Sociedad - Revista Latinoamericana*, n. 29, 75-98

Neira, M. (2012): *Una mala mujer*. España: Plataforma.

Nelo, Mª A. (19 de abril de 2014): De retrones y hombres. *Eldiario.es*. «Otras voces: Esposa y asistente personal». https://www.eldiario.es/retrones/asistencia-personal-cuidados-familiares-amor-sexo-discapacidad_132_4936838.html

Oliver, M. (1983): *Social Work with Disabled People*. Macmillan Education UK. https://doi.org/10.1007/978-1-349-86058-6

Olmos, A. (16 de octubre de 2019): Mala Fama. Cultura. *El Confidencial*. «¿Sabéis qué tienen de gracioso las agresiones sexuales?». https://blogs.elconfidencial.com/cultura/mala-fama/2019-10-16/pablo-soto-bill-burr-acoso-sexual_2283283/

Orfanides, E. (14 de marzo de 2018): 5 Fast Facts. News. *Heavy.com.* "Stephen Hawking Abuse Claims: 5 Fast Facts You Need to Know." https://heavy.com/news/2018/03/stephen-hawking-abused-wife-elaine-mason/

Oyirum (25 de septiembre de 2020): *Youtube*. Oyirum. «Crítica anticapacitista a yo antes de ti». https://www.youtube.com/watch?v=VZUS8FrzLnQ

Palacios, A., y Romañach, J. (2006): *El modelo de la diversidad. La Bioética y los Derechos Humanos para alcanzar la plena dignidad en la diversidad funcional*. Santiago de Compostela: Ediciones Diversitas.

Pérez, C. (2021): «La insurrección de las vidas erróneas». *Womenabled* https://womenenabled.org/la-insurreccion-de-las-vidas-erroneas/

Pérez Orozco, A. (2014): *Subversión feminista de la economía: Aportes para un debate sobre el conflicto capital-vida*. Madrid: Traficantes de Sueños.
        —(2006): «Amenaza tormenta: la crisis de los cuidados y la reorganización del sistema económico». *Revista de economía crítica*, ISSN 1696-0866, Nº. 5, págs. 7-37

Pié Balaguer, A. (2019): *La insurrección de la vulnerabilidad. Para una pedagogía de los cuidados y la resistencia*. Barcelona: Ediciones de la Universidad de Barcelona.
        —(coord.) (2012): *Deconstruyendo la dependencia: propuestas para una vida independiente*. Barcelona: UOC.

Pié Balaguer, A., y García-Santesmases Fernández, A. (2015): «La voz de las subalternas. Cinco narrativas de mujeres resistentes». En Freixanet (Coord.) *Gènere i diversitat funcional. una violència invisible*. Barcelona: Institut de Ciències Polítiques i Socials, 253-328.

Platero, L. y Rosón, M. (2012): «De "la parada de los monstruos" a los monstruos de lo cotidiano: la diversidad funcional y sexualidad no normativa». *Feminismo/s*, 19, 127–142

Platero, R. L. (2013): «Una mirada crítica sobre la sexualidad y la diversidad funcional: Aportaciones artísticas, intelectuales y activistas desde las teorías tullidas (crip) y queer». En Solá, M., y Urko, E. (Eds.): *Transfeminismos. Epistemes, fricciones y flujos*. Tafalla: Txalaparta, 194-211.

Powell, A. (11 de marzo de 2015): *Voa News*. "Pistorius Girlfriend's Mother Discusses Domestic Abuse". https://www.voanews.com/a/mother-of-slain-south-african-model-discusses-domestic-abuse/2675618.html

Prous, E. (23 de abril de 2022): *La incontenida*. «Escatologías de la asistencia personal: divagaciones para sobrevivir al recurso y argumentos para politizarlo». https://laincontenida.wordpress.com/2022/04/23/escatologias-de-la-asistencia-personal-divagaciones-para-sobrevivir-al-recurso-y-argumentos-para-politizarlo%ef%bf%bc/

Ratzka, A. (2022): *Library. Independent Living Institute* (ILI). "Help to live before help to die!" https://www.independentliving.org/docs7/Adolf-Ratzka-Help-live-before-help-die.html

Redacción (22 de enero de 2019): *Ok Diario*. «Ratifican la sanción al 'esclavista' Echenique por contratar en negro a su asistente». https://okdiario.com/espana/ratifican-sancion-echenique-contratar-forma-irregular-asistente-3609348

Roca Campillo, A. (2019): *El límite te lo pones tú*. Barcelona: Grijalbo.

Rodríguez, I; Arenas, M; García-Santesmases, A; y Moyà, J. (2023, en prensa). *Mapeando la vida independiente*. Creative commons.

Romañach, Cabrero, J. (2009): *Bioética al otro lado del espejo. La visión de las personas con diversidad funcional y el respeto a los Derechos Humanos*. A Coruña: Ediciones Diversitas-ALES.
    —(2004) «Los errores sutiles del caso Ramón Sampedro». Nº 135 *Revista Cuenta y Razón del Pensamiento Actual*, ISSN 1889-1489, ISSN-e 1989-2705, Nº 135, 2004, págs. 73-90.

Ruiz Terol, I. (2022): «Experiencias sexuales (in)visibles: Vivencias y percepciones corporales de personas amputadas». TFM, UAB.

Ryan, F. (2020): *Tullidos: austeridad y demonización de las personas discapacitadas*. (Trad. R. Sánchez Cedillo). [*Crippled: Austerity and the Demonization of Disabled People*]. Madrid: Capitán Swing.

Sánchez, T., Rodríguez-Giralt, I., y Mencaroni, A. (2016): "Care in the (critical) making. Open prototyping, or the radicalisation of independent-living politics." *ALTER, European Journal of Disability Research / Revue Européenne de Recherche sur le Handicap*, 10(1), 24–39.

Sanmiquel-Molinero, L. (2023). «El ajuste a la discapacidad como espacio-tiempo liminal: un análisis desde los Estudios Críticos de la Discapacidad»; UAB: Tesis doctoral.
    —(2020): «Los Estudios de la Dis/capacidad: una propuesta no individualizante para interrogar críticamente la producción del cuerpo-sujeto discapacitado». *Papeles del CEIC*, 2020(2), 231. https://doi. org/ 10.1387/pceic.20974

Segato, R. (2018): *Las estructuras elementales de la violencia. Contra-pedagogías de la crueldad*. Buenos Aires: Ed Prometeo.

—(2017). *Las estructuras elementales de la violencia. Ensayos sobre género entre antropología, el psicoanálisis y los derechos humanos*. Buenos Aires: Ed. Prometeo.

Shakespeare, T., Gillespie-Sells, K., y Davies, D. (1996). *The sexual politics of disability: Untold desires*. London: Cassell.

Siebers, T. (2012): 'Sexual Culture for Disabled People', in *Sex and Disability*, ed. by R. McRuer and A. Mollow. Durham; London: Duke University Press, pp. 37– 53.

Solvang, P. (2007): "The Amputee Body Desired: Beauty Destabilized? Disability Re-valued?", *Sex Disabil*, 25:51–64.

Thomas, C. (2007): *Sociologies of disability and illness: Contested ideas in disability studies and medical sociology*. Palgrave Macmillan.

Thomas, G. M. (2021): "A legacy of silence: The intersections of medical sociology and disability studies". *Medical Humanities*, 48(1), 123– 132. medhum-2021-012198.

Twigg, J., Wolkowitz, C., Cohen, R. L., & Nettleton, S. (2011): "Conceptualising body work in health and social care: Conceptualising body work in health and social care". *Sociology of Health & Illness*, 33(2), 171–188.

Val, E. (23 de mayo de 2022): Internacional. *La Vanguardia*. «La coartada del ministro francés Damien Abad». https://www.lavanguardia.com/internacional/20220523/8285569/coartada-ministro-francia-abad-violacion.html

Vértigo Films (3 de diciembre de 2021): *Cinemania. 20 minutos*. «Paco León se avergüenza de esta trama de 'Kiki, el amor se hace'». https://www.20minutos.es/videos/cinemania/noticias/paco-leon-se-avergueenza-de-esta-trama-de-kiki-el-amor-se-hace-4914962/

Violence against women (2014): Informe del FRA – European Union Agency for Fundamental Rights. http://www.inclusion-europe.eu/women-with-disabilities-more-likely-to-experience-violence/

Wendell, S. (1996): *The rejected body: Feminist philosophical reflections on disability*. New York: Routledge.

Wittig, M. (2006): *El pensamiento heterosexual y otros ensayos*. (Trad. J. Sáez del Álamo) [*The Straight mind*]. Barcelona: Egales.

Wolbring, G. (2008): Dialogue. Springer. *The Politics of Ableism. Development*, 51(2), 252–258. https://doi.org/10.1057/dev.2008.17

Wolf, N. (2020): *El mito de la belleza*. (Trad. M. Pérez y R. Manchado). [*The beauty mith*]. Madrid: Continta me tienes.

Young, N. (14 de julio de 2017): *KidSpot*. "Dear Katie Price, a disability doesn't take away your right to privacy". https:// www.kidspot.com.au/parenting/dear-katie-price-a-disability-doesnt-take-away-your-right-to-privacy/news-story/b97c6c1a668b3da430f6992868c678a3

Young, S. (9 de junio de 2014): *Youtube*. TED. «Stella Young: No soy su fuente de inspiración, muchas gracias». https://www.youtube.com/watch?v=8K9Gg164Bsw

Biografía

Andrea García-Santesmases Fernández (1988) es socióloga y antropóloga. Teoriza sus experiencias y encarna sus investigaciones. Comenzó en el activismo feminista madrileño y continuó en el anticapacitista barcelonés, colaborando con el proyecto documental sobre sexualidad y diversidad funcional *Yes, we fuck!* De esas reflexiones y experiencias bebieron su tesis doctoral y artículos posteriores. Actualmente es profesora en el Departamento de Trabajo Social de la UNED y en el Máster Oficial en Sexología de la UCJC, y continúa investigando los cruces entre cuerpo, género, *dis/capacidad* y sexualidad. Este libro busca desbordar el formato críptico de sus textos académicos y contribuir a la conversación pendiente entre feminismo y anticapacitismo.

ÍNDICE

Este ejemplar de *El cuerpo deseado. La conversación pendiente entre feminismo y anticapacitismo* de ©Andrea García-Santesmases se terminó de imprimir en Antequera, Málaga, el 10 de octubre de 2023, Día Internacional de la Visión.